Sabine Winkler

Guía práctica de adiestramiento del cachorro

Educación y socialización

HISPANO
EUROPEA

Índice

Panorámica de los ejercicios 70

El cachorro llega a casa 94

Preguntas y respuestas 106

Apéndices 120

El grupo de cachorros

Se trata de una experiencia relativamente nueva, ya que sólo hace unos quince años que comenzaron a extenderse. Sin embargo, ahora la visita a un grupo de cachorros es algo que casi resulta natural y lógico entre muchos propietarios de perros. De todas formas, aún existen lugares donde esta idea sorprende y es motivo de burlas; por esa razón las escuelas caninas deben esforzarse mucho para encontrar personas interesadas en trabajar en sus «jardines de infancia para cachorros».

¿Por qué, hoy en día, son tan importantes estos grupos de cachorros?

Un jardín de infancia para cachorros

Hay ocasiones en que ni yo misma sé realmente cómo debo llamar a lo que ofrezco en mi escuela canina: «grupo de juegos para cachorros» no es un nombre adecuado, pues en ellos se hace algo más que jugar. «Impronta de los cachorros» tampoco, puesto que cuando el cachorro llega a nosotros cuenta al menos con ocho o nueve semanas de vida y esa fase de impronta o acuñación de procesos de aprendizaje ya pasó hace mucho tiempo. «Preescolar canino» suena demasiado a pupitre escolar y a mantenerse quieto. «Jardín de infancia o guardería para cachorros» parece más acertado, si bien un niño en la guardería siempre queda bajo la protección de unos cuidadores profesionales y en el caso de los perritos son los propios dueños los que permanecen junto a ellos. Por eso, cuando me hacen alguna consulta por teléfono la mayoría de las veces me limito a decir «grupos de cachorros».

El hecho de estar en contacto con otros cachorros del grupo suple la ausencia de sus hermanos de camada.

¿Por qué motivo conviene llevar a los cachorros, una o dos veces por semana, a que entren en contacto con otros perros extraños? Estos grupos de cachorros están pensados, sobre todo, como una vía para que el animal no advierta que ha sido separado de su madre y sus hermanos. La idea era, y sigue siendo, ofrecer a los animales una oportunidad para desarrollar su comportamiento social entre perros. Se trata de un proceso que dura

«Orejas caídas» se encuentra con «Orejas erguidas»: el contacto entre animales de distintas razas facilita el «aprendizaje de idiomas».

poco tiempo cuando el cachorro es separado de la camada y cuenta con unas ocho semanas de edad. Por otra parte, es la fecha adecuada para entregar el cachorro a sus nuevos amos y para que comience a acostumbrarse al entorno en el que vivirá después.

Evitar las agresiones

Las expectativas que se crearon al nacer los grupos de cachorros fueron muy grandes ya desde el principio. Se consideró la hipótesis de que el problema de las agresiones entre perros formaría parte del pasado una vez que se consiguieran de forma general los objetivos asociados al concepto «grupos de cachorros». Puesto que con anterioridad carecíamos de información sobre la importancia que tenían las primeras semanas para el perro, se partía de la base de que la verdadera formación comenzaba una vez superado el primer año de vida. Con el concepto «grupos de cachorros» se podía ofrecer a los dueños la posibilidad de comenzar bastante antes la educación de su mascota.

¿Se han cumplido las expectativas?

La respuesta es que sí, aunque también ha habido cierta desilusión. Está claro

que hoy día un cachorro puede crecer hasta convertirse en un adulto normal sin necesidad de haber pasado por uno de estos grupos. Tampoco se han realizado estudios científicos sobre cómo puede influir la visita a tales grupos en el posterior comportamiento del perro, entre otras cosas porque desde un punto de vista metodológico esa posibilidad es muy difícil de estudiar. Además, está científicamente comprobado que la fase más notable de impronta o acuñación ha terminado antes de que el perro visite por primera vez un grupo de cachorros. Si el perro ha sufrido durante sus ocho primeras semanas una vida penosa y miserable, ni siquiera el mejor grupo de cachorros podrá hacer ya nada por ese animal. Por otra parte, no es suficiente hacer una visita a este tipo de grupos, al contrario, el cachorro también debe ser motivado. A eso se añade que ahora, al igual que por desgracia sucedía antes, siguen existiendo perros agresivos. Al parecer, esa realidad no sólo se basa en una

de conocimientos acerca de los perros figuren como parte importante asuntos como la socialización, la habituación al entorno y la educación precoz de los cachorros. Estos grupos transmiten a los dueños de perros informaciones de las que carecían antes de haber adquirido su actual mascota. Los propietarios de los cachorros recibirán al participar en estos grupos valiosos consejos que les servirán de ayuda a la hora de educar a sus mascotas, además de que un cuidador especializado podrá captar, si fuera el caso, cualquier defecto de desarrollo que padezca el animal y le ayudará a resolver a tiempo los problemas detectados. Por otra parte, ese contacto directo con semejantes apropiados es algo que resulta intrínsecamente útil e importante para cachorros y perros pequeños, pues de hecho no todos los dueños tienen la posibilidad de realizarlo por sí mismos o de hacerlo de una forma organizada. También pueden resultar muy adecuados para lograr la inhibición del hábito de morder o para practicar modos de comportamiento que eviten habituales conflictos entre animales de la misma edad. En caso de crecer juntos, los propios hermanos serán los compañeros más importantes del cachorro a la hora de la

falta de socialización sino que también juegan un papel muy importante los factores hereditarios y otros tipos de influencias externas. Por último, hay que decir que llevar al cachorro a cualquier establecimiento que imparta estos grupos no es necesariamente suficiente. Un grupo de cachorros mal acondicionado (y por desgracia existen muchos en condiciones deficientes) daña más que ayuda a estos perritos; en ellos, los cachorros también pueden sufrir experiencias traumáticas o, debido a procesos de aprendizaje mal orientados, desarrollar algunos problemas que se podrían haber evitado sólo con haber seleccionado mejor el grupo de cachorros al que asistir.

Promoción de conocimientos básicos

En cualquier caso y a pesar de todos estos problemas, los grupos de cachorros son necesarios y constituyen una gran oportunidad. Por eso hay que reconocer a los iniciadores y defensores de tales grupos el acierto de que entre los temas básicos

El cachorro ya se mantiene en pie a partir de la cuarta semana de vida, pero todo parece evolucionar a cámara lenta.

socialización. También se debe destacar, y no es lo menos importante, que personas y perros se divierten mucho en el seno de un grupo de cachorros que esté bien organizado.

En resumen, hay que dar un rotundo sí a los grupos de cachorros. No obstante, digámoslo enseguida, es preferible no ir a ninguno que acudir a uno de mala calidad. Además, no es suficiente asistir a uno de estos grupos para conseguir sólo por eso una buena socialización y una habituación al entorno.

Fases del desarrollo de los cachorros

El periodo de crecimiento se puede subdividir en fases, si bien el momento y la duración exacta de cada una de ellas (excepto la fase de impronta o acuñación) varían de acuerdo con las razas y los ejemplares.

Lo que el perro aprende en las llamadas «fases sensibles» (es decir, en momen-

tos de desarrollo limitados en el tiempo) lo retendrá a la larga y marcará su comportamiento durante toda su vida. Son fases sensibles, sobre todo, las de la impronta y la socialización.

Las tres primeras semanas

Desde la primera semana hasta la tercera después del parto no ocurren demasiadas cosas. Al principio, los cachorros son sordos y ciegos. Maman, duermen y su madre los limpia y acicala. A partir del décimo día de vida abren los ojos y las orejas. Durante la tercera semana ya comienzan a caminar, aunque de forma muy torpe, y a jugar entre ellos. Empiezan a moverse y abandonan el lugar donde está instalada la camada. Desde ese momento comienzan a ser «limpios». Para conseguir esa «limpieza en casa» es necesario que el criador les facilite la posibilidad de superar el límite que supone el lecho de la camada.

Superación del estrés

Se ha comprobado que incluso antes de abrir los ojos ya se producen importantes procesos de desarrollo. En este estadio acontecen los cambios relacionados con la superación del estrés y la resistencia frente a la frustración. Para disponer de un sistema nervioso bien equilibrado, los cachorros necesitan, por una parte, una «habitación infantil» que los proteja y una madre relajada (esto último es importante incluso antes del nacimiento). También resulta muy útil que, una y otra vez, se les someta a unos suaves estímulos estresantes. Eso es algo que se puede conseguir, por ejemplo, a base de pesarlos a diario. Además, también se les puede frotar todos los días con las manos, ponerles panza arriba durante unos instantes, etc. Y, aunque se da por sentado que necesitan un lugar seco para descansar, tampoco es necesario ponérselo todo demasiado cómodo hasta el punto de colo-

Info   Las fases en un vistazo

1.ª y 2.ª semana	Fase vegetativa
3.ª semana	Fase de transición
4.ª a 8.ª semana	Fase de impronta o acuñación
9.ª a 14.ª/16.ª semana	Fase de socialización
4.º a 6.º mes	Fase de volar por sí mismo
Entre el 8.º y el 12.º mes	La pubertad
A partir del 2.º año	El estado adulto

Las superficies inestables sirven para desarrollar el sentido del equilibrio y la seguridad al caminar.

carles, por ejemplo, una lámpara de calor para dormir en su habitáculo. Tampoco hay que acercarlos adrede hasta el pezón de la madre, pues los esfuerzos que deben hacer para encontrarlo o abrirse paso entre los otros cachorros para conseguir una mama y el hecho de acurrucarse entre los demás para darse calor son estímulos importantes para su posterior desarrollo.

Fase de impronta o acuñación (4ª a 8ª semana)

La denominada fase de acuñación es, sin ninguna duda, el periodo más importante en la vida de un perro. Durante el mismo se produce un desarrollo rapidísimo y se consiguen nuevos logros cada día. A esa edad se hace inmediatamente eviden-te el deseo de aprender, y el impulso de la curiosidad supera con creces el miedo que pueda sentir ante las cosas nuevas y extrañas. Posteriormente, esa actitud se modificará y el perro reaccionará tal como lo hace un animal salvaje, sólo que de una forma más moderada, y con precaución y miedo ante las novedades. Por esa razón, los cachorros deben ser sometidos durante esas semanas (por supuesto de una forma controlada) a los distintos estímulos procedentes de su entorno. Así también aprenderán a prepararse para lo nuevo y para saber gestionar el estrés resultante. Ahora es el momento de habituarlos a vivir situaciones que, como sabemos por experiencia, suelen molestar a los animales: tales como los ruidos, las manos de las personas ajenas que tra-

Surgen diferencias individuales. Uno de estos perros es demasiado curioso, otro se muestra muy echado para adelante y el tercero es algo cauto.

tan de sujetarlos, los suelos lisos o inestables, etc. Los perros que durante esta fase crecen aislados suelen mostrarse en el futuro tímidos, padecer un exceso de miedo y ser propensos al estrés. Además, son muy numerosas las ocasiones en que presentan otros problemas como por ejemplo ladrar desmesuradamente ante extraños o mostrar poca tolerancia con los niños. Sin embargo, todo esto puede salir a la luz cuando el perro ya sea adulto.

Aprendizaje social

El cachorro suele pasar la fase de acuñación con el criador que es, junto a su madre y sus hermanos, quien asume las importantes «tareas de la educación». En esta fase de impronta o acuñación, aprende a saber quién es un «congénere» e interioriza el comportamiento social. Los cachorros que son aislados o separados prematuramente de su madre y su camada, a las seis semanas o menos, pueden, en ocasiones, sufrir deficiencias en cuanto a su actitud social y hacer que resulte mucho más complicada la tarea de educarlos. El cachorro también se debe acostumbrar en esta época a recibir la impronta del que va a ser su más importante compañero social, el ser humano. Para ello precisa mantener un contacto frecuente y estrecho con distintas personas, y que ese trato transcurra, por supuesto, de la forma más armoniosa posible. Por eso no es suficiente que sea tan solo la familia del criador (por numerosa que sea) la que se ocupe de los cachorros. Lo mejor es que reciban, al menos dos tres veces por semana, visitas de otras personas nuevas (incluidos los niños) que jueguen con ellos, los acaricien y de vez en cuando los pongan en su regazo. Para la posterior sesión de «limpieza en casa» resulta también muy positivo que los cachorros puedan moverse por distintos tipos de suelo que, además, les permitan alejarse por sus propios medios del lugar en que duermen y juegan.

Fase de socialización (9ª a 16ª semana)

Al principio de esta importante fase, la mayoría de los cachorros suele cambiar de domicilio para instalarse en su nueva residencia, lo cual es bueno para ellos. El proceso de habituación al entorno y socialización debe continuar a la vez que se acometen las primeras tareas de formación. Esta época es adecuada para que los cachorros practiquen sobre todo el trato con otros perros y personas, y aprendan las reglas de juego del comportamiento social.

Durante el desarrollo del cachorro resulta muy importante que tenga un contacto estrecho y amistoso con distintas personas.

Los cachorros suelen saludar a los perros adultos con una actitud que puede ir desde lo servil a lo provocativo, mientras que los animales mayores acostumbran a ignorar a los cachorros.

Los cachorros están por naturaleza muy predispuestos a entablar relaciones y siempre se muestran muy activos. Es imprescindible que en esta fase mantengan trato con otros perros extraños, así como que se habitúen al contacto con la circulación rodada, al ruido de los coches, a llevar puesto el collar, a ser guiados con la correa, etc. Además deben ir construyendo su propia experiencia sin poderse «ocultar» detrás de su madre o sus hermanos. Muchas tareas de las que no puede ocuparse tan solo el criador.

Fase de volar por sí mismo (del 4° al 6° mes)

El cachorro se ha convertido ya en un perro joven. Por decirlo de alguna manera, se ha transformado en un «pájaro a punto de echarse a volar por sí solo». Ahora es más autónomo. Se le ha despertado el instinto cazador y reclama moverse en solitario. El perro joven es, en algunos momentos, muy observador y reacciona de forma repentina ante cualquier objeto que se mueva, aunque esté muy lejos. Lo que más llama la atención a un perro joven es la presencia de sus congéneres. A esta edad también son muchos los animales que, por primera vez, intentan perseguir a las personas que hacen footing o

Un perro en la fase de pubertad puede dar la sensación de que toda la educación que se le ha dado ha sido inútil por completo.

a los ciclistas, así como a trepar por la valla del jardín. Hay ocasiones en que el perro joven sufre «accesos de fiebre de correr» o algún tipo de extremada timidez vergonzosa; de repente, no se acerca a nadie ni quiere que le sujeten con la correa. En un instante y de forma repentina, toda la obediencia conseguida con esfuerzo, en el caso más ideal, puede irse al traste de inmediato. Para evitar que el perro joven se acostumbre a esas actitudes inapropiadas, en esta fase debe ser más controlado y, por ejemplo, sacarlo a la calle con una correa más larga de lo habitual. De lo contrario, puede surgir alguna que otra complicación. Un perro bien socializado y criado no dará problemas, recobrará la serenidad sin dificultades.

La pubertad (entre el 8.º y el 12.º mes)

Ahora el perro joven ha llegado a la madurez sexual y se interesa especialmente por la búsqueda de un compañero o pareja sexual. También puede enzarzarse en peleas por adquirir un rango y las busca entre sus congéneres del mismo sexo. Es probable que se muestre menos concentrado y más inseguro de lo normal. En ocasiones parece haber olvidado todo lo aprendido, aunque más tarde vuelve a actuar de forma normal y lógica. Muchos perros comienzan en esta edad por primera vez a «cuidar de las cosas» y, por ejemplo, a indicar a base de ladridos que

hay un extraño en su territorio. Ahora bien, tienden a exagerar porque todavía son bastante inseguros. Lo más aconsejable para superar con éxito la pubertad del perro es tener una gran dosis de paciencia y dedicarse durante una buena temporada a realizar un intenso entrenamiento de obediencia (a través, por ejemplo, de los deportes adecuados para perros). Por otra parte, el animal necesita que seamos consecuentes y le sirvamos de guía para orientar, por ejemplo, su comportamiento en la vigilancia por las vías adecuadas. Entre los machos, sobre todo, suelen producirse enfrentamientos cuando se encuentran con perros de su mismo sexo; en este caso, no hay que sobrevalorar la situación, pero sería conveniente evitar, en la medida de lo posible, este tipo de comportamientos. Hay que pensar, sin embargo, que a través de las correspondientes experiencias de aprendizaje puede afianzar una cierta tendencia a medir sus fuerzas.

El estado adulto (a partir del 2.º año)

La mayoría de las veces el perro adulto suele mostrarse más sosegado y sereno. A esa edad, aproximadamente, muchos perros dejan de jugar con cualquier congénere que le salga al paso. Sin embargo, en algunos animales puede ocurrir que, hasta los tres años de edad, no soporten la presencia de otros perros de su mismo sexo. Algunos ya empiezan a vigilar su territorio. La formación del animal ha terminado por completo. Si como propietario no ha cometido demasiados errores, podrá relajarse y disfrutar ahora del fruto de sus esfuerzos.

Hasta aproximadamente el año y medio; fases de excesiva pusilanimidad

Hasta el año y medio de edad los perros pasan por fases de un exagerado miedo que, en ciertas ocasiones, sólo duran

unos pocos días y en otras se pueden mantener durante semanas. Aproximadamente a las once semanas se produce el cambio de dientes y se entra en la pubertad. El perro vuelve a sentirse inseguro ante las novedades y se asusta o reacciona con miedo ante circunstancias con las que ya estaba familiarizado. Por ejemplo, ladra con tensión al observar una señal de tráfico ante la que ya ha pasado en numerosas ocasiones. Estas fases son normales y desaparecen por sí solas.

De todas formas, en este periodo deberían evitarse en la medida de lo posible las vivencias demasiado estresantes; hablamos, por ejemplo, de la visita a una gran exposición canina, las operaciones quirúrgicas o alteraciones muy importantes como puede ser el cambio de dueño. Si el animal parece encontrarse en esta fase de miedo, habrá que ir «a medio gas» con la fase de habituación al entorno y no exigirle demasiado.

Hay que entrenar desde muy pronto si uno se quiere convertir en maestro.

Los jóvenes cachorros se desahogan a base de mucho ejercicio y ocupaciones.

La vida junto al criador

Llegada al mundo

Los primeros días

Desde los primeros días los cachorros ya reaccionan al contacto, pueden sentir los cambios de temperatura e incluso percibir el dolor. A base de realizarles un pesaje sistemático y del control ejercido por los criadores ya mantienen sus primeros contactos con el ser humano. Durante la segunda semana ya abren los ojos y pueden percibir los sonidos.

Con todos los sentidos

Búsqueda del alimento

Las dos primeras semanas de vida lo más importante es dormir y comer. Los cachorros consiguen localizar el pezón de la madre mediante movimientos oscilantes (moviéndose en círculo) y surgen los primeros encontronazos con sus hermanos para conseguir la mejor fuente de alimentación. Este ligero estrés resulta importante para su posterior desarrollo.

Siempre en contacto

Aprender comportamiento social

Los hermanos están ahí para todo: uno se puede recostar sobre ellos, iniciar peleas o morderles con mucha suavidad una oreja. El pequeño «gamberro» aprende enseguida que sus hermanos también tienen dientes puntiagudos y que pueden utilizarlos o echar a correr y dejar de jugar. Así, a base del juego, es como se ejercita y mejora el comportamiento social.

Siempre ocurre algo

El día a día con el criador

Los cachorros, que nunca deben aburrirse, pueden aprender en casa del criador todo tipo de cosas. Allí se pasa la aspiradora, se limpia, suena el timbre de la puerta, las visitas saludan de forma amable a los pequeños, suena la radio, el gato está tumbado en un sofá y muestra las garras. Viven, en definitiva, la actividad cotidiana de una casa. Los cachorros deben crecer en contacto con todas estas condiciones, adaptarse enseguida a su nuevo entorno y enfrentarse a él sin asustarse.

¡Atención, así no!

Mamá marca los límites

De los adultos sólo se puede aprender. De hecho, parece como si los cachorros pudieran disfrutar de toda la libertad para hacer locuras, pero la madre no les permite ir más allá de lo que resulta conveniente. Si el «rebelde» se ha pasado de la raya enseguida es puesto en su sitio. En ese sentido es fácil observar algo en la madre: la advertencia es enérgica y «dramática», pero breve. Envía siempre un aviso claro (un «¡No!»), pero unos segundos después todo está perdonado y olvidado.

Los grandes viajes

Conocer el entorno

Muchos criadores no escatiman esfuerzos, ponen a sus cachorros y a la madre en el coche y se los llevan al campo. El beneficio radica en que los cachorros se acostumbran a viajar y conocen su entorno acompañados de la protección de su madre.
También son muchos los criadores que empiezan a utilizar una señal auditiva para que los cachorros acudan a su comedero. Para el posterior dueño del cachorro, esa será la primera piedra de toque sobre la educación del animal.

Estos grupos de reunión son imprescindibles para que, después de ser entregados a sus nuevos dueños, los cachorros mantengan contacto con otros perros jóvenes y puedan aprender, además, un comportamiento social. Para que esto funcione de forma adecuada, son importantes tanto una buena planificación como una perfecta organización.

El terreno adecuado

Tanto si se trata de una actividad comercial, como de una asociación canina sin ánimo de lucro o de una iniciativa de ámbito privado (quizá directamente un criador para los compradores de sus propios cachorros), si se inaugura un grupo de cachorros, es necesario aclarar desde el principio algunos aspectos. Por ejemplo: ¿dónde va a reunirse el grupo?

El sueño de disponer de un terreno

Comencemos por lo ideal: un bonito prado cercado para disponer de seguridad, que tiene, además, varios compartimentos y ofrece la posibilidad de guardar materiales, pensado todo expresamente para el grupo de cachorros, de forma que se pueda organizar a nuestra propia voluntad.

Una manguera de jardín permitirá rellenar con comodidad las piscinas y los bebederos. También es importante ofrecer plazas de aparcamiento y un pequeño pabellón en el que refugiarse cuando haga mal tiempo. Además hay que disponer de aseos, un rincón para preparar café o té y una sala (con calefacción) dotada de pizarra, proyector y televisión, en la que se puedan explicar todos los aspectos teóricos.

Justo detrás del terreno aparece un interesante paisaje, con arroyos, puentes de madera, montículos de arena y un bos-

Una sólida y bonita cerca que limite el espacio es algo que, por supuesto, tranquiliza mucho a los dueños de los animales y a los monitores del grupo. A su amparo el tropel de vivarachos cachorros estará bien resguardado.

quecillo, sin tráfico de coches y casi sin personas. Se entiende que los perros pueden correr por allí con total libertad.

A un máximo de diez minutos en coche deberíamos disponer para nuestras salidas al exterior de una pequeña ciudad con tiendas, ascensores, pasos subterráneos, paradas de autobús, estaciones del metro y plazas de aparcamiento, así como con un pequeño zoológico en el que se pueda entrar con perros. Si usted cuenta con un terreno así, me gustaría felicitarle (y preguntarle, además, que cuánto me costaría participar en uno de sus grupos de cachorros). No obstante, aunque carezca de un emplazamiento ideal como ese puede seguir soñando tranquilo.

Exigencias mínimas

Si todo eso no es posible, es suficiente disponer de un terreno aislado al que se pueda llegar en coche y que carezca de peligros directos, como puede ser el tráfico de coches, una gran densidad de viandantes o alambradas con pinchos que resguarden zonas con ganado; es decir, que de acuerdo con el sentido común no pueda ocurrir nada aunque el cachorro se aleje un poco más de la cuenta. Además, debe contar con un monitor profesional que lleve consigo un comedero y un recipiente con agua. Dicho esto, quizá se sorprenda si le digo que no es impres-

> **Consejo | Condiciones previas**
>
> Es imprescindible que siempre haya agua disponible para que los perros puedan beber, porque jugar y correr da mucha sed. Y también que en zonas con tráfico el terreno esté rodeado por una valla. Para el grupo de cachorros es una ventaja que la superficie no sea demasiado grande. De esa forma se puede acceder de inmediato a cualquier lugar en el que haya que intervenir. Lo más cómodo es que el espacio acotado disponga de la posibilidad de subdividirlo y así, si se estima necesario, se puede repartir el grupo entre los grandes y los pequeños, o entre los impetuosos y los tímidos.

cindible nada de todo ello: ¿ni vallas ni una alegre piscina con juguetes o una tienda infantil de campaña? Yo misma conozco grupos de cachorros que desde hace años se reúnen en grandes espacios abiertos o que cumplen con sus objetivos a base de paseos callejeros y que, sin embargo, funcionan sin ningún problema. Moverse con libertad por un espacio abierto puede llegar a tener ciertas ventajas. Los grupos se suelen organizar por sí mismos: los pequeños, los jóvenes y los vergonzosos se colocan al final, los más

Lo principal es tener buen humor y un monitor especializado, después bastará con improvisar algo sobre el terreno.

Un terreno de nuestra propiedad posibilita la colocación de aparatos para trepar por escaleras.

impulsivos y los mayores van delante. Eso permite solucionar sobre la marcha los conflictos que se puedan presentar y, además, los cachorros aprenden a tener en cuenta dónde están sus dueños. En lugar de toboganes de plástico y piscinas con juguetes aquí hay tocones de árboles, hoyos y hierba crecida entre la que se puede entablar contiendas. La mayor parte de los grupos de cachorros se mueve muy bien en cualquier zona comprendida entre los extremos de la zona establecida.

Salidas al exterior

Las salidas al exterior y las visitas al parque zoológico, a las zonas para transeúntes o a la estación son muy recomendables, pero deben estar muy bien preparadas y atendidas porque en cualquier momento puede ocurrir que un dueño poco experto tire con exceso de la correa de su cachorro o que el perro se siente demasiado exigido y experimente una situación de gran estrés, lo que obligaría al monitor a estar de aquí para allá para evitar lo peor. Por lo tanto, las salidas al exterior realizadas eventualmente con grupos «normales» de cachorros sólo son adecuadas para participantes que ya han formado parte en alguna otra ocasión de este tipo de grupos. De esa forma ya se sabe cómo marcha todo y se puede decidir si alguna de las acti-

Info El tema de los seguros

Todos los participantes deben disponer de alguna póliza de seguro de responsabilidad civil para su propio perro. Aunque se trate de un cachorro muy tranquilo, si, por desgracia, el animal se cruza y hace caer a algún participante que se rompe una pierna o un brazo, la responsabilidad recaerá sobre el dueño del perro. ¿Qué ocurre, por otra parte, si un cachorro (o quizá un niño) se cae desde algún artilugio para trepar y se lesiona? ¿Qué pasa si otro participante, sin darse cuenta, le da una patada a un cachorro de caniche enano que sólo tiene ocho semanas de vida? Eso quiere decir que si su perro forma parte de un grupo de cachorros organizado por una empresa con fines comerciales, esta deberá contar con un seguro de responsabilidad civil.
Las asociaciones deportivas caninas disponen de información sobre asuntos de seguros que usted puede solicitar. Sin embargo, en la póliza debe quedar muy bien reflejado si la cobertura del seguro incluye a personas que no sean miembros de la asociación. Si el grupo se organiza de una forma privada es obvio que deberá contar también por todo lo dicho hasta ahora con un seguro privado de responsabilidad.

El cuidador debe procurar que el perseguido no lo pase demasiado mal; si lo estima necesario puede intervenir en su favor.

vidades es excesiva para unos u otros cachorros. Por otra parte, estas salidas se deben realizar tan solo con grupos pequeños y vigilados con una estrecha atención: un máximo de seis perros atendidos por una, o mejor dos, personas.

Estructuración del grupo

Básicamente un grupo de cachorros puede organizarse como grupo «cerrado» o «abierto»:

> «Abierto» significa que en todo momento se pueden incorporar a él cachorros nuevos.
> «Cerrado» quiere decir que los participantes son siempre los mismos y no se incorporan perros nuevos.

Parece lógico pensar que lo ideal sería que cada semana se pudiera comenzar con un nuevo grupo de cachorros que se adaptaran muy bien entre sí en lo referente al tamaño, la edad y el tipo, y que cuando crecieran se formara una especie de grupo paritario. Los grupos de cacho-

rros suelen ser abiertos y eso conlleva la ventaja de que, con el paso del tiempo, los perros conocen a distintos congéneres y pueden hacer nuevas amistades. El inconveniente radica en que nunca se sabe con exactitud quién va a venir, en ocasiones habrá muchos o pocos perros y, por lo tanto, cuándo los juegos se desarrollarán de forma más o menos armónica. Una situación complicada se puede producir cuando hace un día de mal tiempo y sólo asisten tres cachorros a la sesión, de los que uno es de aquellos que no quiere jugar, el segundo es pequeño y miedoso y el tercero grande y bravucón.

Formación del propietario

Otra desventaja de los grupos abiertos consiste en que, una y otra vez, hay que dar las mismas explicaciones y contestar siempre a las mismas preguntas. En estos casos la instrucción del dueño del perro no resulta demasiado efectiva. Nosotros hemos resuelto este problema desde hace años a base de ofrecer, además de los grupos (de juegos) de cachorros cuyo fundamento es la socialización

de los animales, otros grupos cerrados de adiestramiento de cachorros en los que figura en primer plano la formación precoz de los perros y la enseñanza a los propios dueños. Está muy claro que también se pueden formar grupos según otros modelos: uno de los monitores o de sus asistentes puede hacerse cargo, por ejemplo, de los animales nuevos y dedicarse a practicar con ellos una serie de ejercicios básicos, a la vez que contesta las preguntas pertinentes mientras otra persona se encarga, durante ese mismo tiempo, de adiestrar a los cachorros más avanzados.

Número de cachorros

Es muy fácil hacerse una idea del auténtico vendaval de estímulos que puede producir un grupo de veinte cachorros que alborotan al mismo tiempo. En general, el tamaño de un grupo ideal debe ser de seis a siete perros. Esto no significa que un grupo sea de mala calidad por el hecho de incluir a diez o doce cachorros. Hay ocasiones en que doce animales pueden interrelacionarse de forma armonio-

sa sin que surja ningún tipo de estrés, mientras que en otros casos un grupo de seis perros tiene que ser dividido en dos porque, sin que se adivine el motivo, no se llevan bien entre sí o porque dos de los cachorros son muy pendencieros. En definitiva, la estructuración del grupo es mucho más importante que el número de sus componentes, pero los cachorros deben estar bien adaptados en cuanto a su tamaño y su comportamiento en el juego.

Cachorros y perros jóvenes

En todo caso, siempre resulta útil la separación entre cachorros (de 8 a 18 semanas) y perros jóvenes (de más de 18 semanas). A los grupos de perros jóvenes se les suele llamar en ocasiones «grupos de pendencieros» y esa es una denominación que a mí personalmente no me gusta pues me parece que está impregnada de un cierto segregacionismo. Para decidir qué perro debe ir en cada grupo, hay que tener en cuenta que el tamaño, la personalidad y el comportamiento (en el juego) son mucho más importantes que la

Los perros jóvenes no sólo son más grandes, sino mucho más violentos y bruscos que los cachorros.

cerse entre sí y comprobar a quién se pueden imponer; eso hace que, en ocasiones, se produzcan desavenencias o situaciones de acoso. En el caso de perros con una madurez precoz hay que añadir a lo anterior el asunto del comportamiento sexual. Por otra parte, los adolescentes, al contrario de lo que ocurre con los adultos, son mucho más agresivos y desconsiderados con los cachorros. Todas estas razones hacen que no parezca muy afortunada la combinación formada por perros jóvenes de unos seis meses y cachorros que no tienen más de nueve semanas de edad.

edad. Si también existe una gran diversidad entre los animales, será necesario modificar el tipo de juegos y los comportamientos generales durante un periodo de cuatro a cinco meses, o quizá menos en ciertas ocasiones.

Los jóvenes salvajes
Los juegos entre perros jóvenes son más bruscos y violentos e incluyen una gran cantidad de carreras y comportamientos propios de cada raza. Los perros jóvenes suelen coordinar mejor sus movimientos y por esa razón son más rápidos, ágiles y fuertes que los torpes cachorros. Además, también están muy interesados en cono-

Todo depende del carácter
Puesto que el tamaño del animal también juega un papel importante y los perros miedosos no se adaptan en ocasiones bien, a pesar de su edad, a los grupos de perros jóvenes, puede resultar muy útil colocar un Terrier Alemán de pelo liso de siete meses de edad o un tímido y vergonzoso Terranova de cinco meses en un grupo de cachorros, mientras se puede pasar al grupo de los mayores un hovawart con tendencia a los juegos bruscos o bien un ridgeback que sólo tenga cuatro meses de edad. También juega un papel importante la com-

En el grupo de perros jóvenes suele plantearse en numerosas ocasiones la cuestión del estatus por la que unos perros intentan imponerse a otros.

posición de cada grupo en un momento
determinado. Sí, por ejemplo, dentro del
grupo de cachorros hay muchos perros
pequeños, los de mayor tamaño deberían ser cambiados al grupo de los perros jóvenes. Lo deseable en estos casos
sería formar, en principio, un grupo in-
termedio, si bien en la mayoría de las escuelas caninas el escaso número de
participantes impide esa organización
intermedia. Si se da el caso podríamos
dividir a nuestro grupo de perros asistentes en dos áreas pensadas para las diversas fases del juego. La forma en que
se distribuya a los perros en cada una de
ellas dependerá de la forma física en que

se encuentren cada día, del tamaño, el
comportamiento en el juego y las amistades y enemistades de cada uno.

Fin de la época juvenil del perro

El momento de despedir definitivamente
a un ejemplar del grupo de perros jóvenes es incluso más variable que el de salir
del grupo de cachorros. Debe producirse
cuando el perro joven ha superado con
mucho el tamaño de los demás o su comportamiento es ya demasiado adulto, es
decir, en el momento en que pasa a primer plano el comportamiento sexual o
la referencia al estatus. En algunas ocasiones, un perro con cinco meses es definitivamente «expulsado» del grupo,
mientras otros animales pueden permanecer en él hasta que cumplen un año
de edad.

Grupos de perros pequeños

Los grupos especiales para perros pequeños y enanos son muy recomendables,
pues, por desgracia, algunos delicados
perros pequeños, como los chihuahua o
los malteses, son muy difíciles de integrar en grupos de cachorros que, por otra
parte, son muy adecuados para razas más
robustas como los dackel, los jack russell
terrier u otros semejantes. Por desgracia,

¡El más inteligente
cede! En el duelo por
imponerse, el retriever
renuncia ante un perro
de caza.

Antes de hacer la primera visita a un grupo de cachorros hay que dejar que el perro se quede unos días en casa para que pueda establecer sus vínculos tanto con la vivienda como con su dueño.

demasiado pequeños comparados con el resto de los cachorros: parece recomendable que comiencen a incorporarse al grupo a partir de las doce semanas.

El asunto de la protección de las vacunas

Por desgracia, aún está muy extendida la idea de que los cachorros deben asistir a los grupos después de recibir su segunda vacunación, que se suele aplicar a las catorce semanas de vida, cuando ya casi ha terminado la fase de socialización. Un exceso de celo en ese sentido resulta superfluo, pues el cachorro puede contraer una infección en cualquier esquina de una calle. Para que estuviera a salvo de enfermedades sería necesario mantenerlo aislado por completo, pero en tal caso su comportamiento resultaría muy afectado. Además, es muy probable que al pasear se encuentre con otros perros y nadie pueda asegurarle que hayan sido vacunados y estén sanos. Resulta mucho menos peligroso participar en un grupo de cachorros en el que todos sus componentes han sido vacunados al menos una vez.

son muy pocas las escuelas caninas que cuentan con suficiente clientela como para organizar grupo para perros mini.

El momento óptimo

En principio, lo más deseable sería que los cachorros asistieran lo antes posible a los grupos dedicados a ellos. Por una parte, la integración es mucho más sencilla y, por otra, la fase de socialización del perro es muy corta y debe ser aprovechada al máximo. Dado que antes de la primera visita a uno de estos grupos, el cachorro va a necesitar un par de días para adaptarse a su nuevo hogar, lo normal es que asistan cuando ya cuentan con unas nueve semanas de vida. Una excepción la suponen las razas muy pequeñas, pues a las nueve semanas los ejemplares aún son

Frecuencia y duración de las visitas al grupo de cachorros

Como la fase de socialización es muy corta, es necesario que la asistencia a los grupos de cachorros se haga al menos una vez a la semana. Está claro que lo más adecuado sería hacer dos visitas semanales, pero es fácil comprender que a muchos propietarios de animales les resulte imposible, por diversos motivos, acudir con tanta frecuencia (que pasarían a ser tres veces si se añade la asistencia a un curso de formación). Además, el cachorro también necesita percibir otros estímulos de su entorno. Asistir una vez a la semana al grupo de cachorros puede ser suficiente siempre que, entre dos visitas, el propietario continúe la socialización del animal y su adaptación al medio ambiente.

En nuestra escuela canina la duración de las visitas al grupo de cachorros suele ser de unos sesenta minutos, tanto para los más pequeños como para los perros jóvenes. Puesto que este tiempo puede resultar un poco escaso para la formación de los propietarios, también ofrecemos adicionalmente cursos de educación para cachorros. Sin embargo, una hora es suficiente para que los perros jueguen en comunidad y puedan realizar algunos ejercicios. Por regla general, solemos mandar a casa a los cachorros una vez pasados unos cuarenta y cinco minutos, o antes si observamos que están muy cansados (también contemplamos que el propietario se siente con ellos en la falda en una silla de nuestro jardín y les proporcione un momento de descanso). En caso de mal tiempo se debe tener muy en cuenta que los perros demasiado peque-

Consejo | Teoría

Si las sesiones de los grupos de trabajo con cachorros duran más de sesenta minutos, los animales necesitarán disponer de más tiempo de pausa para descansar. Eso puede lograrse, por ejemplo, añadiendo al curso de educación de los cachorros algunas clases teóricas destinadas a la formación de los dueños. En todo caso, para mantener la atención de los asistentes es necesario que todos ellos dispongan de un sitio donde sentarse y de una sala a cubierto (si es posible, que esté dotada de calefacción) si hace frío o llueve. En estas condiciones se puede hacer que las sesiones de los grupos de cachorros duren más tiempo al poder incluir en ellas una fase de descanso, de manera que resulten muy útiles pues los animales aprenderán, además, a recuperar las fuerzas y a estar tranquilos en presencia de otros perros.

Si la sesión del grupo dura toda una tarde, es imprescindible intercalar algunas fases de descanso.

«Bucear» en comunidad en una piscina de pelotas pequeñas para buscar entre ellas algunas golosinas sólo funciona cuando ninguno de los cachorros siente envidia de la comida que encuentra otro.

ños o los de pelo fino pueden pasar frío. De acuerdo con el número y la duración de las fases de ejercicios, habrá que preocuparse de que haya más pausas o más prácticas.

Aparatos y accesorios

Resultaría magnífico que la zona de juegos para cachorros estuviera bien surtida de todo tipo de juguetes y aparatos multicolores por los que poder trepar. Pero que esa zona tenga el mismo aspecto que un parque de juegos infantiles no nos dice nada sobre la calidad que aporta al grupo de cachorros. Por eso nos debemos preguntar por la utilidad de toda esa parafernalia, porque seguro que no está preparada para satisfacer la necesidad de descanso del director de los grupos ni el de los niños presentes, ni siquiera para impresionar a los amos de los perros o para convertir a los cachorros en animales de circo.

Función de los aparatos

> Ofrecen a los cachorros la posibilidad de mejorar su habilidad y movilidad por diferentes tipos de terrenos, lo que favorece el desarrollo de su cerebro.
> Invitan a los cachorros a explorar, los colocan ante pequeñas exigencias que les sirven para «crecer» y les ofrecen gran cantidad de estímulos.
> Son una muestra de los obstáculos con los que se va a encontrar el animal en algún momento de su vida: suelos resbaladizos, rejillas metálicas, inseguras planchas de madera, cubiertas metálicas de alguna obra, etc.
> Ayudan al dueño del perro a practicar la forma de motivar al animal o apoyarle si siente miedo ante algo. Si todo funciona bien, se puede entender que estas acciones comunes van a reforzar el vínculo entre el perro y su dueño.
> Sirven como escondite y para estructurar los espacios, de forma que los cachorros puedan ir cada uno por su camino.

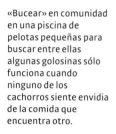

Info | Juegos con la correa o el arnés

Muchos organizadores de grupos de cachorros piensan que para practicar juegos al aire libre es necesario retirar la correa y/o el arnés de pecho que lleve el perro, pues con él existe cierto peligro de lesionarse.

A pesar de que esos temores son comprensibles, yo actúo de otra forma en mi grupo de cachorros y debo decir que en mis diez años de experiencia nunca he tenido problemas en este sentido. Creo que el riesgo no es alto. Si los cachorros se encuentran totalmente «desnudos», cuando acudan los amos a recogerlos tendrían que ponerles el collar o el arnés y hasta es posible que algunos tuvieran que sujetarlos por el manto para conseguirlo. Son muchos los cachorros que no toleran en absoluto la colocación del arnés o del collar, por lo que el hecho de tener que sujetarlos porque procuran evitarlo y el trasiego correspondiente con la correa crea, en mi opinión, un elevado riesgo en relación con asociaciones negativas referidas a las manos de las personas o a las llamadas para que acudan.

rante la época del crecimiento del perro, también contamos en nuestro centro con un servicio de alquiler de arneses. Así a cambio de una pequeña tarifa el dueño puede alquilar un arnés del tamaño adecuado a su cachorro y luego cambiarlo por uno mayor o devolverlo una vez que el animal haya crecido.

Venta de accesorios

Cuando se recomienda un determinado accesorio, como puede ser un *clicker*, una bolsa de golosinas, un muñeco lleno de chucherías o determinadas correas o juguetes, no es mala idea tenerlos disponibles como muestra para que puedan ser inspeccionados e incluso vendidos a los clientes, sobre todo si hablamos de accesorios que sean difíciles de conseguir en la tienda habitual de animales.

Bien analizado, queda claro que se puede conseguir mucho sin necesidad de hacer un gran despliegue de medios. Una breve visita a la tienda de bricolaje o al cobertizo de nuestro propio jardín podrá ayudarnos sin tener que reconstruirlo todo para cada sesión. Haga uso de todo lo que tenga a su disposición y utilice la imaginación.

Otros accesorios

Para eliminar los excrementos es necesario tener siempre a mano un cubo con tapa y una pala así como bolsas desechables de plástico. Se entiende que también se necesita un bebedero (sin olvidar, además, un bidón para rellenarlo, pues la experiencia me dicta que los bebederos siempre se caen y que los cachorros tienden a orinarse en ellos). Lo mejor es llevar también algunas golosinas y juguetes adecuados, pues no todos los propietarios los llevan consigo, sobre todo si es la primera vez que asisten a estos grupos. Tampoco está de más tener a mano alguna correa suplementaria.

Alquiler de arneses

Los arneses de pecho son muy adecuados para los cachorros y en nuestro grupo los recomendamos encarecidamente. Es muy importante colocarlos de forma correcta en el animal. Dado que se trata de un elemento bastante caro que, además, debe cambiarse cada pocas semanas du-

Casi todos los propietarios de animales se sienten muy satisfechos al comprobar que en el mismo grupo de cachorros pueden alquilar, o incluso comprar, arneses adecuados a la complexión de su perro.

Túneles de todo tipo

Sirven los túneles de tipo *agility* (que no tienen por qué estar sujetos al suelo), los de juegos infantiles, los cubos de plástico, las cajas de madera sin fondo o los túneles de sacos (estos últimos deben ser utilizados siempre bajo vigilancia para evitar que cualquier cachorro se pueda quedar atascado en ellos).

Mantas, sábanas y lonas

Aptas para deslizarse por debajo o correr por encima y para que el dueño u otra persona se puedan disfrazar. También se puede sentar al cachorro sobre una manta y sirviéndose de cuatro auxiliares levantarlo con mucho cuidado.

Telones

Pueden ser hechos con tiras móviles de las que se cuelgan latas vacías o botellas de plástico. También sirve una de esas persianas que se utilizan para que no entren moscas en las casas.

Cajas y mesas

Sirven pequeñas mesas *agility* o bien mesas de patas muy cortas. Cajas resistentes de madera o plástico. Grandes cajas de cartón. Una mesa de jardín estable colocada a una altura normal y con una rampa antideslizante para poder trepar hasta ella y juegos como los que se suelen encontrar en las clínicas veterinarias. Un trasportín para perros para mostrar al dueño cómo puede acostumbrar a su perro a ir en él y para adquirir experiencia sobre el entorno.

cachorros aventureros

Pasarelas, rampas y balancines

Son apropiadas a las necesidades de los perros (también son adecuadas las rampas para subir al coche) las que se encuentran en los parques infantiles, pero también se pueden improvisar con unas planchas de madera. Las pasarelas deben ser bajas y estar firmemente aseguradas. Los balancines deben retirarse durante las fases de juego libre para que ningún cachorro pueda quedar pillado debajo.

Piscinas infantiles

Vacías, con algo de agua o rellenas de pelotas pequeñas. Para trepar, chapotear o tratar de superar pequeños retos.

Vallas, neumáticos, tablones, rejillas y bolos

Utilizados como obstáculos colocados en el suelo para pasar por encima o reptar por debajo. Esto favorece especialmente la coordinación motriz de las patas traseras, que suele resultar bastante complicada para los perros.

Carretillas o carritos

Se puede sentar en ellos a los cachorros y, moviéndose con cuidado, desplazarlos de acá para allá. A modo de preparación para un viaje en trasportín sobre una bicicleta o en una piragua.

Inscripción en el curso de cachorros

Aunque usted, en su propio jardín y, por lo tanto, en un ámbito privado, vaya a formar un grupo de cachorros, es necesario formalizar algún tipo de inscripción incluso para hacer valer, en un momento determinado, la exención de responsabilidades.

Control del certificado de vacunación

Mientras el dueño del animal rellena la inscripción, usted puede controlar la cartilla de vacunas del cachorro. En caso de estimarlo necesario, también se puede anotar en el formulario de inscripción el tipo de vacuna, el veterinario y la fecha en que se administró la última. Esta cartilla explica en algún lugar los nombres y las abreviaturas de las vacunas más recientes. Si no está seguro de algo, lo mejor es que se informe en su propio veterinario sobre lo que ha de tener en cuenta a la hora de realizar el

Antes de empezar a divertirse es necesario cumplir con unos cuantos trámites burocráticos.

control. Por regla general, aparece la abreviatura «MHPL» al referirse a las vacunas del moquillo, la hepatitis, la parvovirosis y la leptospirosis. «Pi» suele aparecer como abreviatura para referirse a la tos de las perreras. La vacunación contra la rabia no suele ser necesaria cuando los animales son cachorros. Al principio, el perro está protegido gracias a la vacuna de su madre y cuando sea mayor recibirá su correspondiente vacuna. Hay que tener bastante cuidado con las cartillas de vacunación extranjeras y debe ponerse especial atención en los certificados emitidos por entidades veterinarias no nacionales, pues los animales importados del extranjero pueden ir acompañados de documentación falsa e infectar al grupo de cachorros con alguna enfermedad peligrosa.

Excepciones antes del comienzo del curso

Parece lógico pensar que lo único seguro es llevar a cabo todas las formalidades antes de permitir que los nuevos participan-

Lo mejor es realizar la inscripción y el control de las vacunas antes de entrar en el terreno de juego.

Inscripción en el curso de cachorros

Nombre:
Dirección:
Lugar de residencia:
Teléfono:
Correo electrónico:

Nombre del perro:
Raza:
Fecha de nacimiento:
Sexo:

La participación en el grupo de cachorros se realiza bajo mi propia responsabilidad.
El propietario/a de cada cachorro responde de los daños que pudiera causar su perro.
Al firmar esta inscripción declaro aceptar y estar de acuerdo con el reglamento de participación.

Fecha y firma del participante

tes y sus cachorros entren en el terreno de juego. No sirve de nada descubrir, a posteriori, que a un perro no se le han administrado todas las vacunas necesarias. Si el dueño de un perro sienta en un balancín a su cachorro antes de que haya firmado el volante de inscripción por el que libera al grupo de responsabilidades, en caso de que el animal se cayera y sufriera una lesión podría ponerle a usted en un apuro. Además, seguro que en un primer momento el dueño de un cachorro intentará presenciar la incorporación de su perro al grupo y, por lo tanto, acompañarlo en lugar de ponerse a cumplimentar formularios, igual que usted, como director o monitor del grupo, también dedicará los primeros minutos a centrar su atención en el nuevo cachorro para observar su integración en el grupo. Nunca debe permitir que el cachorro se agite miedoso y se dedique a tirar de la correa a la vez que el resto de los perros salta a su alrededor, mientras usted y el propietario tratan de cumplimentar la inscripción.

Si son varias las personas encargadas de atender a un grupo, deberán hablar de antemano para fijar las tareas que se asignan a cada uno y coordinarse.

Cuestionario

A la vez que realiza la inscripción se puede entregar un cuestionario que el propietario podrá rellenar, si lo desea, en su casa. En él deben figurar preguntas que sean útiles para usted y le permitan familiarizarse tanto con el dueño como con su perro. Algunas preguntas también serán de ayuda para los dueños de los cachorros, pues, por ejemplo, les animarán a concretar sus ideas acerca de los objetivos que persiguen con el perro. Devuélvale el cuestionario al dueño después de haberse quedado con una copia del mismo. Se pueden incluir preguntas como las siguientes:

> ¿De dónde procede el cachorro y cuáles han sido sus condiciones de cría?
> ¿A qué edad se lo entregaron?
> ¿Por qué se decidió por esta raza en concreto?
> ¿Cuántas personas integran su familia? ¿Qué edades tienen sus hijos?
> ¿Qué espera usted de su visita a este grupo de cachorros?

> ¿Está previsto que, más adelante, el perro deba cumplir una tarea determinada?
> ¿Qué características positivas deberá tener su cachorro cuando haya crecido?
> ¿Qué características negativas serían intolerables para usted?
> ¿Ha tenido algún problema con su cachorro? (Si su respuesta ha sido positiva, describa el problema).

Colaborador

Para grupos formados por más de seis o siete ejemplares es necesaria la participación de un segundo instructor. También puede ocurrir que, aunque el grupo de cachorros sea más pequeño, una sola persona quede desbordada enseguida si tiene que ocuparse a la vez del juego con los animales, las contestaciones a las preguntas de sus dueños y, además, realizar los formalismos inherentes a la inscripción en el grupo. Un auxiliar que cumpla funciones de monitor ayudante permite hacer dos subgrupos, lo que puede resultar muy útil a la hora de integrar cachorros miedosos o hacer que los nuevos participantes adquieran más confianza. Por lo tanto, estaría bien contar con los servicios de un ayudante, pero, por supuesto, también este precisará algún tiempo de iniciación a su tarea (véase la página 58).

Toda la familia al grupo de cachorros

¿Debe ir la familia al completo a la «guardería del cachorro»? ¡Todos son bienvenidos! Además, los niños contribuyen a la socialización entre los seres humanos y casi todos son muy amables y comprensivos con los perritos. Si un niño hace algo que a usted le parece inadecuado, señáleselo de forma correcta, amable y directa, indicándole cómo desea que se porte y por qué es importante que lo haga así. La explicación debe ser más sencilla que si se la diera a un adulto y, por supuesto, paternal y carente de pedantería. Los niños siempre acaban por mostrarse muy cooperativos. Debe quedar claro que la misión de los adultos presentes no es la de educar y supervisar la actuación de los niños de los demás (aunque, al parecer, a algunos progenitores ya les gustaría que fuera así). Diríjase a los padres si un niño resulta demasiado molesto u observa que aquellos no hacen nada para evitarlo o para poner en claro que los obstáculos preparados para los cachorros no son seguros para los juegos infantiles (a pesar de que esos aparatos suelen despertar un tremendo interés entre los niños).

Participación en los ejercicios

En mi grupo de cachorros los niños pueden tomar parte en los ejercicios junto a sus mascotas, igual que hacen los adultos. Está claro que no hablamos de que asuma ninguna misión superior a su condición infantil (por ejemplo, guiar a los cachorros sobre el balancín), de que lleve a su perro con la correa, ya que puede resultar una tarea excesiva debido a la fuerza que es necesario emplear o hacer que trate de forma violenta al cachorro. Si los padres no ejercen su autoridad sobre el niño en caso necesario, otro estará obligado a intervenir. Algunas personas sobrestiman las posibilidades de sus hijos y en casos extremos llegan a creer que un niño de siete años puede asumir la mayor parte de la educación del cachorro.

La presencia de los niños resulta muy deseable y pueden ofrecer una buena colaboración, dentro de sus posibilidades, en todo tipo de ejercicios.

La perra se comporta como si fuera una niñera...

Perros adultos y cachorros

Si su perro adulto tiene vocación de «niñera», tienta y espolea a los cachorros tímidos para que salgan de su reserva y les reprende cuando se ponen insolentes, puede sentirse orgulloso de él y, por supuesto, llevarlo consigo al grupo de cachorros. También resulta valioso para mejorar el aprendizaje del comportamiento social de los jóvenes animales la presencia de un perro adulto al que no le guste jugar, se mantenga al margen y, sin pasarse, intente morder a los cachorros después de lanzarles constantes amenazas. Muchos perros adultos se ponen nerviosos ante la presencia de los cachorros, se sienten demasiado exigidos en el seno del grupo y muestran su irritación o son algo bruscos en sus juegos. Usted debe intentar captar y aceptar las limitaciones de su perro. En principio, resulta muy necesario que los cachorros mantengan contacto con perros adultos, y sobre todo con aquellos que les regañan y no quieren jugar con ellos. Anime a los dueños de los cachorros a que les faciliten el trato con perros adultos de tales características.

Material informativo y publicidad

Para unificar los temas más comunes (como, por ejemplo, la limpieza o la habituación al trasportín) es imprescindible repartir unas hojas informativas entre los dueños de los cachorros. Como entre los amos noveles de perros la demanda de información es continua, la mayoría de ellos se sienten muy satisfechos si disponen de detalles sobre asuntos como educación, salud, alimentación, comportamiento, socialización, etc. Lo más útil es facilitársela de una manera sistematizada en forma de dossier o mediante artículos sueltos sobre los determinados temas, haciéndoles ver que es muy importante y tratándola en las sesiones teóricas. También es muy bien recibida la recomendación de algunos libros que aborden de esos asuntos y que en la escuela canina haya, además, algunos ejemplares que puedan consultar. En estas cuestiones no hay que mostrarse tacaño con los conocimientos ni con el dinero. Después de todo, se trata de que sus clientes tengan el mejor comienzo posible con sus cachorros.

... e irradia una enorme autoridad.

Medidas publicitarias

Una vez que todo esté pensado y organizado, es imprescindible dar a conocer la existencia de su grupo de cachorros. Además de algunos anuncios por palabras en la sección de mascotas del periódico local, carteles en las tiendas de animales y entradas en diversas páginas de Internet, lo principal es ganarse a los veterinarios de la zona, pues a ellos acuden todos los propietarios durante las primeras semanas de vida de los cachorros para que les administren las diversas vacunas; lo mejor sería dejar en sus consultas algunos carteles informativos y publicitarios (o incluso pedirles su recomendación personal). Merece la pena tener una pequeña charla con el veterinario y explicarle sus ideas al respecto. Si consigue que uno o dos de esos profesionales recomienden de forma expresa su grupo de cachorros, podrá comprobar que esa es la mejor publicidad que podría obtener.

Si ya ha encontrado un terreno que considera adecuado, ha tomado las decisiones pertinentes en cuanto a la forma de organización y ha comprado todos los accesorios, ya no deben tardar en llegar los primeros cachorros con sus dueños. Ahora se trata de planificar la evolución de las sesiones y, en caso necesario, plantearse la forma de involucrar a los cachorros en el juego.

La dirección de grupos de cachorros

Dirigir un grupo de cachorros es algo muy divertido, pero las numerosas y siempre cambiantes exigencias lo transforman en un trabajo muy pesado. Los grupos son una inversión de futuro en la que tanto los cachorros como sus dueños deben tener el mejor comienzo posible. Esa es una circunstancia que se vuelve muy favorable porque unos visitantes satisfechos se acaban por convertir en clientes fijos de la escuela canina o en miembros activos de su asociación. A pesar de que la calidad tiene un precio, los participantes en un grupo de cachorros no deben pagar un precio excesivamente elevado; por otra parte, el monitor del grupo no sólo deberá estar al corriente de los temas sobre la educación de los cachorros, sino disponer además de suficiente experiencia que le permita valorar de forma adecuada el comportamiento de los animales y reconocer a tiempo los problemas que puedan surgir. Además, tendrá que ser capaz de contestar a todo tipo de preguntas sobre los más diversos aspectos del comportamiento de los perros. Este puesto de trabajo no debe ser considerado como secundario y apto para novatos o personas poco capacitadas, sino que debe ser apreciado como de gran responsabilidad en la asociación o la escuela canina.

No basta con disponer de unos cuantos artilugios para trepar que sean más o menos coloridos.

Sin reglas no hay estructura

Ya sean entregadas por escrito, anunciadas con absoluta claridad o sencillamente incluidas en las explicaciones que se imparten a cada uno de los participantes, cada grupo de cachorro debe tener sus propias reglas, que son necesarias para crear un ambiente agradable entre unos y otros. Yo, personalmente, considero muy útiles las siguientes directrices:

> Cada propietario se debe encargar de retirar las deposiciones de su cachorro.
> Nadie puede, sin haber sido autorizado de forma expresa, dar una golosina al cachorro de otro participante.

> Un cachorro que salta debe ser ignorado por la persona hacia la que haya saltado. Si es necesario hay que sujetar a los perros de forma que no puedan tirar a los niños al suelo.
> En circunstancias normales los perros no deben jugar entre sí cuando estén sujetos con la correa (véanse las páginas 80 y 102).
> Sólo se puede quitar la correa a los perros una vez que lo indique el monitor o uno de sus ayudantes.
> Si se estima necesario intervenir en el juego de un cachorro, sólo puede hacerlo una persona del equipo, nunca el propietario del animal.

Un ritual para comenzar

Una cuestión a tener en cuenta en los grupos de cachorros, que supone un cierto problema, es aquella de que los perros tienden a tirar de la correa y mostrarse excitados cuando se encuentran con algún congénere. ¡No debería ocurrir! Yo no puedo decirle al dueño de un cachorro qué tiene que hacer cuando está de paseo con su mascota, pero sí que el comienzo de una sesión del grupo de ca-

Los tirones con la correa aplicados cuando surge un encuentro entre perros conducen a un lenguaje corporal muy desfigurado; sólo provocan estrés y tensiones.

chorros debe transcurrir de un modo perfectamente relajado y, sobre todo, perseguir el objetivo de que los animales no se olviden por completo de sus amos por el mero hecho de tener a la vista a un posible compañero de juegos. Por eso deben saber que la excitación disminuye si antes de empezar a jugar han tenido ocasión de contemplarse unos a otros durante unos instantes.

Ejercicio de introducción

Al principio los cachorros deben permanecer sujetos con las correas y los dueños mantener una cierta distancia entre ellos para que los perros no se puedan acercar entre sí y tengan la oportunidad de tranquilizarse. Por regla general, los cachorros sin experiencia pueden estar separados entre metro y medio y dos metros. Los primeros minutos deben servir para practicar algún ejercicio de introducción en cualquiera de sus distintas variantes (véase la página 41).

En esta fase no es deseable que los dueños puedan dar a sus mascotas algún tipo de instrucción (del estilo «¡Siéntate!»), pues un cachorro no está aún bien instruido como para mantenerse sentado durante varios minutos. Si se le obliga a permanecer sentado durante mucho tiempo, cosa que no es deseable, o a mantenerse permanentemente atento a una señal después de pronunciada, el cachorro no lo cumplirá.

Después de este ejercicio de iniciación, los perros deben ser soltados de sus correas al mismo tiempo y tras una indicación del instructor. Lo mejor es hacerlo cuando los cachorros están concentrados en sus dueños o, al menos, cuando las correas no están tensas (soltarlos de la correa representa un premio y, por lo tanto, no debería realizarse si el cachorro tira de ella, emite ladridos agudos, etc.).

Reglas para quienes llegan con retraso

Si alguien llega al grupo cuando la fase de juego libre ya está en marcha, yo le pido al dueño del animal que le quite la correa fuera del terreno de juego y lo acerque sujeto por el collar hasta llegar a la puerta del cercado y abrirla para permitir el acceso del cachorro. Debe ser así porque si alguien entrara en el terreno vallado con su perro atado mientras el

Es necesario practicar una y otra vez que los cachorros se concentren primero en sus dueños antes de permitirles jugar entre sí.

resto de los animales está enfrascado en un juego, se organizaría un tremendo alboroto de consecuencias peligrosas.

Integración de nuevos cachorros

Algunos cachorros llegan nuevos al grupo y trastornan de inmediato el juego o, sin ningún tipo de complejos, se dedican a explorar el terreno. Al principio muchos resultan algo vergonzosos o tímidos, lo que no constituye ningún motivo de preocupación porque la causa suele ser que todavía están medio dormidos. La mayoría de los perros que al principio se muestran retraídos suelen integrarse en el grupo al cabo de media sesión; otros necesitan dos o tres sesiones para vencer la timidez. Lo importante es, en cualquier caso, que los cachorros vergonzosos, los muy delicados, los demasiado jóvenes o los muy pequeños, puedan disponer de su propio espacio. Si en los primeros minutos les derriban al suelo o se sienten superados, esta mala experiencia puede provocar, en el peor de los casos, que se mantengan recelosos durante el resto de su vida.

Protección de cachorros inseguros

Lo ideal es que un cachorro tímido pueda mantener contacto con uno o dos animales pequeños que se muestren amistosos y prudentes. En todo caso, durante los primeros minutos siempre debe contar con un «guardaespaldas» humano que permanezca a su lado. Lo mejor es que en un primer momento este papel lo asuma el monitor o guía del grupo. Si se diera el caso, después podría hacerlo el dueño, que debería acompañar al cachorro y, si fuera necesario, mantenerlo los primeros minutos sujeto por la correa para que no pudiera echar a correr, si fuera presa del pánico, despertase la curiosidad de los demás cachorros o comprobase que no lo puede proteger. Acérquese a otro cachorro y si muestra signos de miedo ante la novedad, póngase en cuclillas, coloque al pequeño delante de sus piernas y manténgale algo arrimado a su cuerpo.

No rechace por completo el contacto, en lugar de eso avance de tal forma que el otro no pueda avasallar al miedoso saltando sobre él o poniéndole encima las patas de forma un tanto violenta (colocar las patas encima de un colega es una invitación a jugar, pero está claro que un cachorro de pinscher enano se puede sentir muy amenazado si un pequeño moloso leonberger le pone amistosamente las patas sobre la cabeza. Además los cachorros más temperamentales tienden a saltar sobre los otros con las dos patas delanteras).

Este acompañamiento suele ser necesa-

Los cachorros pequeños o inseguros deben contar primero con un «guardaespaldas», que tanto puede ser su dueño como un cuidador.

Comienzo de una sesión con los cachorros

Variante 1 - Jugar con el dueño

Cada dueño empieza a jugar con su cachorro que está sujeto con la correa. Durante el ejercicio se retiran las correas, dejan de intervenir las personas y los perros juegan entre sí.

Variante 2 - Esperar con tranquilidad tiene su recompensa

Los dueños forman un círculo y sujetan con firmeza las correas de una determinada longitud (unos 80 cm). Ignoran a los cachorros si ven que se muestran intranquilos, tiran de la correa, ladran o saltan; en cambio, les premian si se comportan con sosiego (al principio basta con que lo hagan durante un segundo). La recompensa consiste en un elogio con la voz, un toque de *clicker* o una golosina (una caricia sirve para excitar a los cachorros, ponerlos nerviosos y apartarlos de su auténtico trabajo). La mayoría de los perros aprende en dos o tres semanas a esperar con tranquilidad. El ejemplo de los cachorros experimentados hace el resto.

Variante 3 - Señal de desconexión

Los cachorro reciben una «señal para desconectar». Los dueños deben adoptar una determinada postura que el animal entienda a la perfección: «aquí no pasa nada, ahora puedes dar una pequeña cabezada». Por ejemplo, puede colocar un pie sobre la correa, dejar los brazos colgando y no mirar al perro, que se sentirá ignorado por completo mientras su dueño mantenga esta postura; ni siquiera será elogiado ni recompensado por su buen comportamiento. De hecho, los cachorros no llegarán a dormirse por completo en el campo de juego, pero con este método aprenderán enseguida a mantenerse tranquilos. El ejercicio se puede utilizar durante las breves sesiones teóricas o si vamos a un restaurante.

Variante 4 - Ejercicios de juegos

El dueño realiza, con el cachorro sujeto por la correa, algunos sencillos ejercicios de juego. Puede colocar ante el morro del animal alguna golosina y animarle para que adopte distintas posturas, mientras le dice, por ejemplo... «¡Siéntate!», «¡Échate!», «¡En pie!».

rio durante el primer cuarto de hora de la sesión, es decir, hasta que el nuevo cachorro supera su inseguridad.

Contacto con la correa

Se puede conseguir alguna ventaja adicional con los cachorros miedosos o muy pequeños a base de darles la oportunidad de inspeccionar con libertad el terreno antes de que el resto de los cachorros llegue a jugar o aún se encuentren sujetos con la correa. De forma excepcional, yo inicio los primeros contactos con el resto de los cachorros cuando aún están atados, haciendo que los dueños los sujeten cortos para que no puedan saltar sobre el

> **Consejo** Protección sí, consuelo no
>
> El cachorro asustadizo debe recibir protección y cobijo de su amo, pero no debe ser consolado ni acariciado durante mucho tiempo, pues esto conlleva en ocasiones que se sienta demasiado ligado al ser humano con las consiguientes complicaciones cuando desee entrar en contacto con otros perros.

que requiere más atención. Una vez satisfecha su curiosidad, no todos se precipitarán a olisquear al pequeño durante la siguiente fase de juego libre. Si a pesar de todos los intentos, el cachorro miedoso se siente muy agobiado, su dueño puede sentarse en una silla y colocar al animal en su regazo hasta que hayan soltado al resto de los cachorros. Así la mascota podrá ver qué sucede a su alrededor desde esa altura de seguridad.

Juego, ejercicio y teoría

Una organización clara de la sesión de juegos con los cachorros ofrece a simple vista muchas ventajas, pues aporta seguridad a todos los participantes. Habitual-

Si mientras están atados, los cachorros superan una cierta distancia de seguridad, es posible que la mayoría de las veces se enzarcen en peligrosas peleas.

mente, las fases de juego libre se alternan con pequeñas sesiones de ejercicios en las que los cachorros suelen estar atados. Ya hemos comentado cuál es el ritual de iniciación. Al final de la clase, los cachorros también deben permanecer atados durante unos minutos y practicar unos sencillos ejercicios, de forma que se puedan tranquilizar antes de emprender el regreso a casa con sus dueños. Un final ordenado ofrece al equipo de trabajo la posibilidad de organizarlo con tranquilidad y disponer de tiempo para hacer las anotaciones pertinentes en las tarjetas, hacer anotaciones en las listas de asistencia e incluso repartir algunas hojas informativas.

Fases de juego libre y fases de ejercicios

Las fases de ejercicios también sirven para crear unas pausas en las que los cachorros puedan descansar desde el punto de vista físico y eliminar su excitación y nerviosismo. De hecho, hay ocasiones, aunque no suele ser lo habitual, en las que los cachorros juegan durante horas y ellos mismos, si lo necesitan, se procuran unas pausas para descansar. La coincidencia de perros con un caráter muy diferente y el propio juego, violento en

ocasiones, provoca con frecuencia momentos de gran tensión, sobre todo cuando el tiempo de juego libre supera los diez o quince minutos por sesión. El estrés aparece a consecuencia del cansancio físico y mental del cachorro y se hace patente hacia el final de la clase mediante riñas, ladridos y enconos. Según la organización de la sesión o la composición del grupo, puede ser necesario intercalar algún breve descanso. En caso de que el juego sea amistoso o de que los nuevos cachorros necesiten algún tiempo para calentarse, las fases de juego se pueden prolongar. Si se ha jugado de forma demasiado violenta, hay pendencieros en la reunión o algunos cachorros son muy sensibles al estrés, es necesario acortar estas fases de juego libre. En estos casos, los dueños de los perros se ven más exigidos y casi no

> ## Info Sesiones de ejercicios
>
> En una clase para cachorros, de una duración aproximada de sesenta minutos, es posible realizar tres sesiones en las que, según el tiempo que se necesite, se pueden realizar de tres a cinco ejercicios distintos.

Si se permite el contacto entre perros mientras están atados, lo mejor es que las correas estén bastante flojas.

disponen de tiempo para una pequeña «charla» entre ellos.

Sesiones teóricas

En nuestra escuela canina hemos intentado en varias ocasiones ofrecer tardes adicionales dedicadas a la teoría pero, por desgracia, no han tenido muy buena acogida por parte de los dueños de los perros. Por eso nos limitamos a facilitar alguna información importante en una breves sesiones teóricas y, a veces, incluimos ciertas explicaciones en el propio grupo de cachorros. Dado que las posibilidades de concentración de los participantes es pequeña si los cachorros están dando vueltas a su alrededor, pensamos que es preferible sujetar con la correa a los animales durante estas breves sesiones teóricas. De esa forma, se establece una pausa en la que se pueden realizar ejercicios en la manta o la alfombrilla (por ejemplo colocarse y mantenerse quieto sobre la misma, véase la página 90) o bien practicar una «señal de desconexión» (véase la página 41). Según nuestra experiencia, si los dueños no disponen de un lugar donde sentarse o estar a cubierto en caso de mal tiempo los

logros de la reunión son muy limitados. En estos casos, los perros también se sienten incómodos y, sobre todo por aburrimiento, comienzan a hacer travesuras como morder la correa, ladrar o escarbar en el suelo. Por esa razón, una sesión de teoría sólo debería durar algunos minutos a no ser que se disponga de una habitación resguardada y con calefacción. También resultaría muy útil introducir una ronda de preguntas, pues eso permitiría al monitor del grupo abordar los problemas actuales y hacerle ver dónde se necesita una información más amplia o practicar algunos ejercicios específicos.

Finalización de una fase de juegos

No resulta demasiado sencillo atar a un cachorro después de una fase de juegos. En efecto, es normal que sea difícil alejar del juego a ciertos cachorros, y más aún si han jugado durante mucho tiempo y de forma violenta. Lo más importante es que el dueño no tenga que estar llamando siempre a su cachorro, pues

El hecho de que llamar al perro tenga éxito es, por supuesto, un motivo de alegría. Su mascota debe darse cuenta de que ha realizado un magnífico trabajo y usted está muy satisfecho.

entonces el animal se daría cuenta de que esa insistencia de su amo no tiene mucho significado; lo mejor es esperar durante un instante hasta que el dueño le pueda «dirigir la palabra» intentando acercarse al animal con comida o algún juguete que le llame la atención. En ocasiones, si el cachorro está muy inmerso en el juego es necesario para captar su atención ponerle delante del hocico una golosina muy sabrosa y decirle de inmediato, por ejemplo, «¡Ven!» y atraerlo hacia sí. De esta forma, cada llamada será desde el principio un acierto en la diana.

Acercarse y poner la correa

Si a pesar de todos los esfuerzos no se consigue nada, entonces el dueño tiene que acercarse al animal y sacarle del juego. Después de colocarle la correa hay que dejar pasar al menos cinco segundos en los que el cachorro debe seguir con lo que estaba haciendo cuando llegó su dueño.

Este intervalo impide que el perro asocie el hecho de ponerle la correa con el final del juego, pues en ese caso podría comenzar a saltar de un lado a otro al observar que se le acerca la mano con el mosquetón de la correa. En ese sentido, resulta muy positivo llamarlo unas cuantas veces y luego dejar que se vuelva a reintegrar a la fase de juego.

Juguetes en el grupo de cachorros

En los terrenos cercados dedicados a los cachorros suele haber algún juguete. Es necesario que sean resistentes y no demasiado pequeños a fin de impedir que se rompan al poco tiempo. Hay ocasiones en que los cachorros se disputan el juguete con gran vigor y tiran de él cada uno por su lado. Algunos cachorros también defienden los juguetes con mucha agresividad frente al resto de los perros. En ambos casos, es necesario hacer desaparecer de inmediato dicho juguete.

Lanzamiento de juguetes

Es fácil provocar algún que otro problema si se lanzan juguetes a los perros, debido a que estos atractivos juegos de «estimulación» con los que los animales se elevan y retuercen pueden provocar agresiones a la hora de luchar por una «presa». También se pueden producir situaciones de *mobbing* si un perro se apresura en hacerse dueño de un juguete y el resto de la jauría se dedica a perseguirle.

Una gorra que ha caído en medio de un grupo de cachorros se convierte en un objeto que puede resultar demasiado peligroso.

Info ¿Comer juntos?

En algunos grupos de cachorros los animales son alimentados de forma conjunta, colocando, por ejemplo, comida seca sobre un paño extendido. Al parecer, de esta forma se eliminan disputas por la comida. Después de algunos ensayos, nosotros hemos reinstaurado en nuestro grupo de cachorros la «gran comilona» común. Para evitar agresiones por una voracidad exagerada se debe ofrecer mucho alimento para que todos los cachorros queden saciados y se den cuentan de que no es necesario pelearse ni gruñir a los demás. Pero eso provoca que los cachorros ingieran grandes cantidades de comida extraña, lo que puede desbaratar el plan de alimentación que estén siguiendo y hacer que surjan dificultades en cuanto a la limpieza del recinto. Se ha comprobado, en especial, que no es posible reprender de forma efectiva a un cachorro que utiliza la agresividad para hacerse con comida. Aunque el monitor del grupo se mantenga pendiente del cachorro más glotón y actúe de inmediato si observa un exceso de agresividad, no podrá evitar que este cachorro tenga éxito con su estrategia: el resto de los animales le tendrá miedo y tratará en el futuro de evitar comer junto a él, que es justamente lo que buscaba el cachorro voraz.

Son sobre todo los perros jóvenes los que más suelen saltar de forma bastante brusca sobre los niños que mantienen juguetes en la mano. Por este motivo, no parece aconsejable arrojar pelotas dentro del grupo de cachorros.

Comportamientos de juego típicos de cada raza

Existen diversos tipos de juegos para perros diferentes y también comportamientos lúdicos que son típicos de cada raza, aunque, por supuesto, en un principio cualquier juego debería poder ser realizado con cualquier tipo de perro; no obstante, siempre existen excepciones que confirman la regla. En ocasiones, por ejemplo, ocurre que se realizan algunos juegos en el grupo de cachorros que no están bien adaptados a los animales y se hace necesaria la intervención de las personas. La experiencia ha demostrado que el comportamiento de un perro en el juego es algo que no se puede modificar en sus aspectos más fundamentales. Sólo es posible vigilarlo a fin de que no surjan acciones indebidas y, si ocurrieran, que puedan ser interrumpidas de inmediato mediante la intervención de alguna persona.

Juegos de guardia y protección

Cuando se trata de perros muy indicados para realizar trabajos de custodia, como puede ser el caso del border collie o el australian shepperd (el pastor australiano), hay ocasiones en que esa actitud, innata en el perro, interfiere en su comportamiento social y, por esa razón, a los tres o cuatro meses de edad ya no juegan sino que más bien «guardan» al resto de los perros, es decir, se ha producido una ritualización de su actitud. Mientras sólo vigilen al resto de los perros no aparecerá, en principio, ningún problema, pero algunos animales guardianes son brutales a la hora de entrar en acción. Intentan detener a los demás a base de atropellarlos y aferrarlos por el pescuezo o las patas. También pueden ponerse muy nerviosos si dentro del grupo hay algunos perros que corren mucho y muy deprisa. Además, varios perros guardianes juntos pueden coordinar sus movimientos y dirigirlos contra una «víctima», de manera que aparecerá de inmediato un problema de acoso.

Juegos de carreras

Los galgos o similares, así como muchos pequeños terrier, se muestran encantados de hacer de corredores y sobre todo de iniciar juegos de carreras. Cuando varios pe-

Algunos Border Collie o Australian Shepperd (Pastor Australiano), consideran ya desde muy pronto que los demás son «ovejas».

rros participan en estos juegos y persiguen a otro, el ambiente se puede caldear enseguida y provocar una situación de acoso. El perro corredor debe aprender a mantener el juego bajo control a base de no avanzar y quedarse quieto antes de que se le compliquen demasiado las cosas. Naturalmente, es algo que no siempre consigue, sobre todo si es más pequeño que el resto y los perseguidores están muy excitados. En ocasiones, pueden que le corten el camino o que carguen contra él desde un lateral. También es posible que le atropellen cuando intente detenerse. En tales casos debe intervenir alguna persona para detener de inmediato esa violenta persecución.

Juegos de revolcarse

Los perros de tipo Labrador y Golden Retriever suelen terminar su asistencia al grupo de cachorros totalmente sucios durante los días lluviosos, pues tienden a tirarse al suelo y revolcarse mientras juegan. En el caso del retriever, el hecho de estar siempre tumbado no supone una señal de sumisión, pues suele ser él mismo el que se echa al suelo. Los retriever acostumbran a jugar con un gran despliegue de fuerza física y, al ser perros vigorosos y de gran tamaño, superan con

mucho a otros animales de constitución más ligera o a los que prefieren los juegos de carreras.

Luchas

En lo que se refiere a la tendencia a practicar luchas como forma de juego, los perros de tipo moloso como los Boxer, superan a los retriever. A los primeros, así como a muchos Ridgeback o Dobermann (y, por supuesto, también a otros muchos perros), les gusta saltar con sus patas delanteras sobre sus compañeros de juegos, circunstancia que debe ser muy tenida en cuenta para que el otro no se deje ame-

Un juego de carreras demasiado violento puede desembocar en una pelea.

Uno que se abalanza, el otro que se cae...

El dogo Aramis es grande y rápido...

drentar demasiado. Todos los perros válidos para la protección y vigilancia, así como las razas de gran tamaño, por ejemplo, los pastores o los Hovawart, son muy dados a este tipo de brusquedades durante las que atacan, en forma de juego, al resto de sus congéneres, por lo que resulta muy habitual tener que dedicarse de inmediato a sujetarlos por el pescuezo. Ese es el motivo que obliga en muchas ocasiones a pasar a estos animales del grupo de cachorros al de animales jóvenes.

Juegos con presa

Si se encuentran muy excitados a causa del juego, los terrier pueden reaccionar contra su adversario tratándole como si fuera un botín de caza, es decir, sujetándole y sacudiéndole con furia. Los movimientos rápidos y la agitación de la «presa» son la causa fundamental de este comportamiento instintivo. Hay que poner término de inmediato a tal actitud.

Intervención en los comportamientos de juego

Una de las cuestiones más controvertidas en los grupos de cachorros es la siguiente: ¿cuándo y, en su caso, cómo se debe intervenir en el juego o en los enfrentamientos entre los cachorros?

Por un lado existe la opinión de que: «¡nada de intervenir, que se las arreglen por sí solos!». En el otro extremo encontramos a los que, ante la más mínima riña, estiman necesario interponerse y castigar cualquier tipo ritual de agresión con la esperanza de que los cachorros se eduquen hasta convertirse en perros pacíficos. Como siempre suele ocurrir, en bueno encontrar un punto de equilibrio. Un comportamiento agresivo no siempre es erróneo o perturbador, sino que incluso puede formar parte de la actitud más habitual. En el caso de un animal de presa, como puede ser el perro, es importante, si se trata de animales adultos, que se desarrolle la agresión según un ritual. La naturaleza se las ha arreglado para que los cachorros dispongan de dientes de leche muy afilados

Consejo | Ladridos

Los Collies y los perros de pastoreo de ganado (por ejemplo, los Appenzeller) suelen mostrar en casos de estrés su excitación a base de constantes ladridos. Poco es lo que se puede hacer en este aspecto, que no sea constatar que el animal padece un prolongado estrés e interrumpir el juego de todos los cachorros o apartar del juego al agobiado animal y distraerlo de otra forma.

... pero Enzo, el pequeño terrier alemán de pelo corto, es más ágil. Los dos se divierten, sin embargo, al cabo de unos minutos el juego deja de ser aceptable para Enzo.

con cuya ayuda, mientras que aún son inofensivos, puedan transmitirse mutuamente el hábito de la inhibición de la mordedura. También forman parte de los procesos de aprendizaje unas fases transitorias llamadas de «alta bestialidad» en las que probarán hasta dónde pueden llegar, pero con las que también practicarán comportamientos apaciguadores destinados a suavizar o evitar los conflictos. Los cachorros tienen que aprender la forma de finalizar una pelea después de haberla comenzado. El grupo de cachorros también debe trabajar estas notables experiencias, por lo que no parece aconsejable separar de inmediato a los cachorros nada más surgir un pequeño conflicto.

Intervención moderada

Por otra parte, un grupo de cachorros no es algo que sea absolutamente natural, y se reúnen perros que son extraños entre sí, de distintas edades y distintos tipos. Además, puede ocurrir, como entre los lobos o los perros salvajes, que un cachorro más débil se convierta en cabeza de turco. Nadie se extrañaría de que el mismo tipo de selección tuviera lugar en un grupo de cachorros o que algunos cachorros aislados demasiado agresivos encontrarán divertido molestar a los demás. En tales casos, es muy adecuado e importante intervenir de forma moderada.

Nada de castigos físicos

La intervención nunca debe consistir en imponer un castigo físico a los cachorros agresivos, y menos aún que lo haga una persona desconocida, pues eso podría provocar reacciones negativas frente a ese extraño. Además resultaría algo muy poco apropiado: los conflictos en los grupos de cachorros no suelen surgir porque uno de los animales sea excesivamente agresivo, sino porque los cachorros se sienten demasiado excitados o porque son de distintos tamaños o edades y no se adaptan de forma adecuada a los tipos de juego que se les proponen. Aunque uno de los perros fuera demasiado pendenciero, las personas no solemos percibir el comienzo de una pelea o no llegamos a tiempo a imponer un castigo adecuado, sobre todo porque una pelea suele ser algo que sólo atañe a dos. Por todos estos motivos debe considerarse tabú en el grupo de cachorros agarrarles por el cue-

¿Intervenir o esperar?

llo, tirarles al suelo de espaldas, gritarles o hacer cosas semejantes. Tampoco es deseable darles un constante «¡No!» por parte del dueño o del monitor del grupo,

Info   Observar cuidadosamente

Siempre es necesario que el guía del grupo y sus auxiliares estén muy atentos si ven u oyen:

> Gruñidos (pero hay que saber que existe un inofensivo gruñido de juego emitido con un tono elevado y gracioso).
> Chillidos o gañidos.
> El pelaje erizado que se mantiene durante demasiado tiempo.
> El rabo metido entre las patas.
> Repetidos intentos de enzarzarse con un perro que en ese momento está tumbado.
> Perros con aspecto de cansancio o miedo que intentan apartarse de los demás.
> Cachorros que de forma permanente o bien, una y otra vez, intentan restringir el espacio de acción en los juegos de un determinado perro.
> Juegos o peleas entre perros muy distintos en cuanto a tamaño o edad.
> Juegos de persecución en los que varios cachorros persiguen a otro.

ya que el cachorro afectado no suele hacer nada censurable (a lo mejor sólo se trata de que es demasiado grande para su compañero de juegos). Además, muy pronto aprende a ignorar ese «¡No!», puesto que la experiencia le muestra que, por regla general, los hombres no consiguen salirse con la suya.

También pueden aparecer en el juego determinadas características de comportamiento similares a las que se comentan a continuación en el recuadro «Info», aunque la mayoría de las veces surgen en secuencias de juego cortas e intercaladas. De todas formas, un juego siempre se caracteriza por la alternancia de roles: un juego brusco puede ser muy adecuado cuando uno de los animales se encuentra primero encima de su rival y después debajo o es una vez el perseguidor y otra el perseguido. Incluso entre hermanos de camada puede ocurrir que jueguen entre ellos de forma bastante más brusca que con el resto de los cachorros, sin que eso tenga siempre que resultar problemático.

Situaciones típicas para la intervención

Por lo general, el equipo de cuidadores es el que tiene que hacerse cargo de la intervención. Las excepciones a esta regla se producen si se plantea algún acoso, si un perro pretende montar a otro o si lo acuerda el monitor del grupo. Es muy evidente que los dueños de los cachorros suelen ser bastante parciales y tienden a perdonar todo lo que hace su querido cachorro, mientras se dedican a criticar a los perros de los demás. De hecho, les falta experiencia para valorar si es oportuno intervenir; por regla general se inmiscuyen demasiadas veces o demasiado pronto.

Varios perros «pasados de rosca»

Cuando varios cachorros se exceden en sus acciones, el nivel del juego sube mucho en brusquedad y surgen agresiones, ladridos y cosas semejantes. En ese caso, está claro que una fase de juego demasiado prolongada ha provocado la aparición del estrés. A veces se trata tan sólo de que hay un ejemplar mal educado o de incompatibilidad entre compañeros, de lo que se deriva un grupo adaptado de forma poco armoniosa. En un primer momento es necesario atar y sujetar a los animales, después hacerles practicar un ejercicio relajante que permita disponer de una pequeña pausa para respirar o para que el equipo de instructores pueda cambiar la organización del grupo.

El acoso de un perro

Si se producen situaciones de acoso en las que varios perros arremeten contra otro, es imprescindible que todos los propietarios sujeten a sus mascotas tan pronto como puedan. En estas situaciones los perros no suelen hacer caso de las llamadas, pero cuando varias personas se interponen en su camino e intentan sujetar al perro solitario o atraerlo hacía sí, lo normal es que el acoso llegue a su fin. En muchos casos, al cabo de muy poco tiempo se pueden reanudar los juegos, pues este fenómeno de acoso sólo se suele producir en momentos muy puntuales. Si se repitiera con frecuencia, se haría necesario modificar la composición del grupo.

Peleas entre gallos

Si el juego de los cachorros se desarrolla de una forma demasiado brusca o a partir de él se produce una pequeña pelea con gruñidos, ladridos de amenaza o incluso un voces de queja por parte del que está situado abajo, será necesario prestar algo más de atención. ¿Son parecidos los dos animales? ¿El que está abajo es el que normalmente triunfa y le gusta poco verse sometido? ¿El de abajo se dedica a dar patadas en la barriga del

¿Son parecidos los dos animales? ¿El que está abajo patea al de arriba, pero parece ileso? Entonces se puede esperar con total tranquilidad.

de arriba, parece ileso y no se rinde de ninguna manera? En todos estos casos las personas deben mantenerse apartadas y esperar que los perros puedan solucionar sus propios problemas. La mayoría de las veces así lo hacen por lo que, al cabo de unos momentos de cierta tensión, remite la pelea de gallos, los animales se sacuden un poco y cada uno sigue por su camino. Todo resulta muy normal, sobre todo si durante la clase el ganador ha sido en ciertas ocasiones uno de los cachorros y en otras veces ha vencido su rival.

Cobijar al miedoso

Si un cachorro tiene miedo de los demás, aunque se le acerquen con aspecto amistoso, y se ponga histérico a chillar o a dar saltos para que le suban en brazos, no hay que reprender a los otros cachorros ni dar cobijo al miedoso. En lugar de eso se debe modificar la situación para que el cachorro no considere necesario portarse así (véase en la página 40 «Integración de nuevos cachorros»).

Con semejante diferencia de tamaño hay que preocuparse para que el perro pequeño no se convierta en la pelota de fútbol del grande.

Montar

Si de forma breve y ocasional un perro monta a otro no se necesita ninguna intervención, pues esta acción forma parte del repertorio normal de comportamiento. Pero si un perro monta una y otra vez a otro, o a todos, se precisa interrumpirlo para que no se deje llevar por ese proceder. Simplemente, su dueño, el monitor del grupo o cualquier otra persona que se encuentre cerca se limitará, rápidamente pero sin más comentarios, a retirar al otro perro. En este caso las regañinas o los castigos son tan absurdos como equivocados, pues el perro que ha tratado de montar a otro apenas lo asociará con su comportamiento. Si un perro se dedica a montar a otros, sobre todo en el primer o último cuarto de hora de la sesión, o esto sucede de forma aislada en determinadas clases, puede significar que se siente sometido a estrés. Algunos cachorros (no es extraño que ocurra con los dackel o los pequeños terrier) de unos cuatro meses de edad no hacen otra cosa que intentar montar a los demás. En los casos más extremos no se les puede permitir tal actitud ni una sola vez y es necesario interrumpirlos constantemente, sobre todo si también muestran este comportamiento fuera del grupo de cachorros y lo intentan incluso con las personas. Se suele tratar de casos de hipersexualidad para los que se recomienda la castración precoz, pues esa forma de actuar viene dictada por la carga hormonal y la experiencia nos dice que no es posible influir en ella mediante un buen adiestramiento; además, esa manera de ser puede repercutir de forma negativa en el comportamiento social del resto de los perros.

Pequeños «machos»

¿Una de las partes en conflicto es de bastante mayor tamaño que la otra? ¿El más débil o el que está situado debajo man-tiene una actitud miedosa, mete el rabo entre las patas o intenta huir? ¿El que está situado encima es un «machito» al que le divierte someter de forma constante a los demás? ¿Hace que las cosas lleguen a un extremo exagerado y le gusta mantener atrapado al que está situado debajo a pesar de que éste ya haga tiempo que se ha dado por vencido? ¿Ha degenerado la situación (suele ocurrir pocas veces) en una auténtica pelea? En todos estos casos se hace necesaria la intervención de alguna persona y en las perores circunstancias deberá ser el guía del grupo o uno de sus auxiliares quien, con la mayor rapidez posible, se acerque al cachorro que está situado arriba, lo levante del suelo y lo aparte un par de metros. En muchas ocasiones, ese cachorro al que se ha sujetado se pondrá muy furioso y comenzará a dar patadas con gran violencia, en cuyo caso no deberá ser soltado, incluso a costa de que el ayudante se lleve algunos arañazos, hasta que se tranquilice.

Interponerse entre dos perros

Si la situación no es tan dramática como lo que se ha descrito anteriormente, o no es posible aferrarle (por ejemplo, porque se trate de un perro joven al que no se puede levantar con demasiada facilidad), será necesario separar a los cachorros interponiéndose entre ellos (*splitting*). Esta acción, que consiste en colocarse entre dos contendientes, procede del análisis del comportamiento social de los perros en el que puede verse que, en ocasiones, un tercer perro pasa entre dos que riñen o coloca un costado entre ambos y provoca de inmediato el enfriamiento de la situación crítica. En estos casos no está del todo claro si el tercer perro interfiere de forma consciente o se limita a sentirse atraído por la curiosidad, pero, sea como sea, su injerencia consigue relajar la tensión.

Candy dispone durante cierto tiempo de un guardaespaldas.

Reservado el derecho de admisión

Los perros también utilizan el recurso de colocarse en medio cuando quieren modificar la dirección de la carrera de otro animal o impedir su acceso a un determinado lugar. Es posible que el *splitting* sea realizado de forma accidental, pero también es posible que sea ejecutado para «hacerse ver» más, para expresar una cierta dominación. Representa una forma tranquila, pero muy eficaz, de dejarle claro a un perro que en determinadas situaciones no se le permite ese comportamiento.

Poner paz en el grupo de cachorros

El monitor del grupo o uno de sus asistentes separa a los cachorros con el brazo y protege después a la «víctima» del perro violento o agresivo desplazando constantemente la parte delantera del perro agresor y, con los brazos algo abiertos y una ligera tensión corporal, impedirle el acceso a la «víctima». Durante todo ese proceso debe mantener siempre la mirada sobre el perturbador, y si se observa

que trata de escabullirse por delante debe apartarlo hacia un lado ayudándose con el otro brazo, pero sin decirle absolutamente nada. Sujetarlo o aferrarlo por el collar o el arnés es algo que sólo debe hacer para liberar a la «víctima», pues el atacante no aprende nada y, en cambio, se provoca su irritación. En otros caso, cuando el «atacante» es un cachorro más pequeño también se le puede levantar del suelo durante un instante, girarlo ciento ochenta grados en el aire y después volverlo a dejar en el suelo, de tal manera que la persona se coloque entre ambas partes e interrumpa el contacto visual y aquél deje de ver al que era su adversario. Después, si el perro pendenciero tiene un nuevo objetivo a la vista se puede dejar que se vaya.

Lo mejor del splitting

La estrategia funciona, aunque en ocasiones haya que repetir el proceso varias veces, una después de otra, de forma muy persistente, y previamente haya que practicar un lenguaje corporal adecuado (fluido, tranquilo, firme y autoritario sin nervios, aunque no amenazador). Enseguida se comprobará que el perro molesto deja tranquilo al otro, al menos durante algunos minutos. En ocasiones intentará tiranizar a otro de los cachorros pero, después de unas cuantas repeticiones de la estrategia, acabará por abandonar por completo su actitud. La situación puede resultar algo más laboriosa cuando el supuesto «mártir» quiere arremeter contra su agresor, pues entonces serán dos los perros a los que toca proteger. La estrategia funciona mejor cuanto más en cuenta tiene la persona que lleva a cabo el *splitting* que los dos contrincantes deben ser separados físicamente y que, además, es necesario interrumpir de forma eficaz y duradera el contacto visual hasta que ambas partes desistan.

El desarrollo de una sesión

Si se improvisa durante la sesión del grupo o se piensa en lo que se quiere practi-car sólo unos minutos antes, la mayoría de las veces nos encontraremos con clases muy similares en las que los ejercicios estandarizados acaban por hacerse aburridos porque falta material para realizar cambios. Por lo tanto es muy necesario planificar la organización de la clase, incluso aunque después las circunstancias del momento nos obliguen a desviarnos, por ejemplo, porque el tiempo ha desbaratado todos nuestros proyectos o porque las apremiantes preguntas de los participantes han llevado a la clase por un camino inesperado.

Planificación rotatoria de ejercicios

También se puede organizar un plan rotatorio en el que se incluyan todos los ejercicios importantes y que se pueda repetir cada pocas semanas. O bien utilizar, por ejemplo, un archivador con sugerencias de ejercicios y un bloc de notas para registrar lo que ya se ha hecho, en qué momento se ha realizado y sacar de ese fondo de ideas algunas variantes de ejercicios (en la página 71 se

Los grupos de juego para razas pequeñas serían algo magnífico, pero no se suelen ofrecer por falta de demanda.

pueden encontrar varias propuestas de ejercicios).

Puesto que en un grupo abierto de juegos se suele tener poco tiempo para realizar con detalle todos los ejercicios importantes, lo más sensato sería externalizar una parte de esos ejercicios y pasarlos a otros centros de adiestramiento para cachorros o a algunas clases independientes.

Preparación de los ejercicios

Un plan rotatorio, un fichero con tarjetas o algo parecido también resulta muy ventajoso si el director del grupo trabaja con ayudantes o cuando (por ejemplo, en una asociación canina) son varias las personas que se reparten el control de los ejercicios. Además de las reuniones regulares del equipo para hablar de los planteamientos y los objetivos del grupo de cachorros, se debe considerar importante la celebración de unas charlas antes y después de las clases para asignar a cada uno lo que debe hacer de acuerdo con su competencia y capaci-

dad. En ocasiones bastan diez o doce minutos antes y después de la clase, así como una persona responsable que coordine toda la planificación y se cuide de que siempre estén disponibles los materiales necesarios para la siguiente sesión. Si son varias las personas que se reparten la dirección de un grupo, sería útil que llevaran un distintivo con su nombre y que vistieran ropa con el logo de la escuela canina: todos esos detalles suelen ser muy apreciados por los participantes.

Una sola voz para los ejercicios

En las charlas de equipo debe quedar claro quién lleva la voz cantante (al menos durante un determinado ejercicio). De lo contrario, se puede producir un caos en el que los dueños de los cachorros no sabrían a qué o a quién atender. Por lo tanto, los ejercicios deben ser anunciados siempre por la misma persona, y si la dirección de un ejercicio es asumida por uno de los auxiliares, el resto del equipo, incluyendo al director, no debe interrumpirle, pues podrían ponerle en evi-

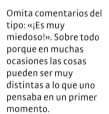

Omita comentarios del tipo: «¡Es muy miedoso!». Sobre todo porque en muchas ocasiones las cosas pueden ser muy distintas a lo que uno pensaba en un primer momento.

dencia y provocar un ambiente de inseguridad entre los asistentes. Las críticas se deben hacer con discreción y tan sólo con carácter profesional en las reuniones que se celebren después. Si el director del equipo o de la escuela tiene que actuar directamente en un ejercicio, debe hacerlo para que el ayudante pueda salirse airoso.

Evitar que se sobrepasen las competencias

Del mismo modo, ninguno de los auxiliares debe sobrepasarse en sus competencias. Los dueños de los perros que formulen preguntas que superen los conocimientos del asistente, o cuando este no esté totalmente seguro de la respuesta, deben ser puestos de forma inmediata en contacto con él director. Es muy importante que ante determinada pregunta todos reciban las mismas respuestas por parte de todo el equipo. Si un asistente ayuda a un participante en un ejercicio o le explica algo de forma particular, deberá tener muy en cuenta que dicho participante no se pierda la siguiente explicación que realice el director del grupo.

El trato con los dueños de los cachorros

Ya que usted es, en muchas ocasiones, el primer «experto» con el que se encuentran los dueños noveles de perros, sobre sus espaldas recaerá, en su condición de director del grupo de cachorros o como miembro del equipo, una gran responsabilidad ante los amos de los animales. Deberá señalar los errores cometidos por los propietarios y poner de manifiesto los posibles problemas, todo ello con una actitud de exquisita diplomacia. Si se encuentra con participantes que llegan con sus mejores intenciones, buenos propósitos, grandes esperanzas y elevadas expectativas, no hay que quitarles sus ideas de la cabeza, ponerles de vuelta y media o darles la sensación de que son unos incapaces que no saben nada del asunto. Hay que omitir algunos comentarios muy frecuentes entre entrenadores de perros a

Puede ser cuestión de su estado de forma en un día en concreto: a lo mejor al día siguiente el cachorro se puede comportar de manera muy distinta.

Jugar con él es divertido y también favorece la formación de nexos de unión.

los que les gusta hacerse los importantes y no decir ciertas cosas del estilo: «esta raza no le va usted nada bien» o «¿cómo se le ocurrió comprarse este perro?». O incluso: «¡con éste animal es seguro que va a tener problemas!». Está claro que nadie que llega con su querido y dulce cachorro en brazos quiere escuchar de antemano que se ha equivocado. Además, nadie tiene derecho a juzgar con tal dureza a una persona a la que acaba de conocer.

En ocasiones las cosas ocurren de otra forma...

Hay veces en que el ingenuo dueño de un retriever llega por primera vez con los zapatos recién limpiados y una chaqueta clara al terreno embarrado donde juegan los cachorros, después tiene que pelear con muy poca habilidad con el mosquetón de la correa. Un año después, en cambio, se le puede ver caminando por el bosque bajo la lluvia en compañía de su perro, pero con botas de goma y chaqueta campestre de la que cuelgan muñecos y silbatos. A pesar de que en ocasiones los temores sobre posibles problemas resulten fundados, existen formas agradables y momentos adecuados para ofrecer la información apropiada al dueño del animal, sin que tenga que ser justo en los primeros minutos de una sesión del grupo de cachorros.

Apoyos y limitaciones

El papel de los responsables del centro ante las personas y los perros debe consistir en facilitar las cosas y apoyarlos, y no en poner trabas y dar pie a situaciones de inseguridad. Sin embargo, hay ocasiones en que también se deben poner límites a las personas, porque no todos los participantes en el grupo aceptan bailar al son que se marca, pero está claro que no se puede permitir que las cosas empiecen mal en un grupo de cachorros y que algunos participantes puedan formarse una impresión equivocada. Si alguien tira con fuerza de la correa de su perro o le grita, se le deberá dejar claro

La persona indicada para jugar con el cachorro debe ser el dueño y no el director del grupo...

de inmediato que ese proceder es tabú en el grupo. Si cierta persona no quiere realizar alguno de los ejercicios o no quiere recompensar a su mascota con golosinas, no se la presionará demasiado, pueden bastar unas palabras explicativas sobre las razones del ejercicio, de la utilidad de las golosinas y de la disponibilidad a prestarle algunas chucherías si no las ha traído consigo. No resultará molesto para el resto de los participantes, pero si el asunto supera unos límites determinados, lo mejor es mostrar una reacción de rechazo. A lo mejor el participante obstinado acaba por realizar al cabo de dos o tres semanas los ejercicios que ponía en tela de juicio e incluso traer algunas golosinas porque ya es consciente de su utilidad. También puede suceder que esta persona no regrese al no ser de su agrado el tipo de adiestramiento que está recibiendo su cachorro. Esto es algo muy normal y no hay que ofenderse por ello. No todo el mundo tiene por qué aceptar el mismo planteamiento.

Preguntar por todo

Tenga muy en cuenta que no debe quedarse bloqueado ante las preguntas de un participante ni perderse en conversaciones particulares. De hecho, el instructor se debe al grupo completo y debe mante-

ner la supervisión del juego de todos los animales. En cuanto a las preguntas que sean de interés general, pueden ser respondidas en forma de pequeña conferencia dirigida a todos y aprovechar esa reunión espontánea para establecer una ronda de cuestiones o una sesión teórica. También pueden ofrecerse clases particulares si resulta excesivo el número de problemas o preguntas que surgen.

Explicar el comportamiento de los perros

Es necesario explicar a los participantes en más de una ocasión la forma en que

... sin embargo, ese director del grupo debe explicar al propietario del perro la forma de llevar las riendas del juego.

se debe interpretar el comportamiento que están teniendo en ese momento los perros, así como cuándo deben intervenir en el juego o por qué aún no deben hacerlo. De esa forma todos comprenderán su actuación y los dueños de los cachorros, una vez fuera del grupo, podrán estimar en su trato con los animales si lo que ocurre es lo correcto o hay que ponerle un límite. Explique de forma cordial, pero con toda claridad, el motivo por el que usted o alguno de sus asistentes deben decidirse a intervenir en una acción.

Cambio de grupo

Cuando se está absolutamente seguro de que un perro debe pasar del grupo de los cachorros al de los perros pequeños o bien de que un animal deba abandonar para siempre el grupo de los perros pequeños, el dueño debe ser informado con una o dos semanas de antelación y explicarle los motivos con todo detalle. Para algunos participantes está «expulsión» es un pequeño shock si se encuentra cómodo en el seno del grupo. Sin embargo, el dueño, que puede haberse dado cuenta de que en los últimos tiempos han tenido que separar a su perro de los demás o bien hacer algún *splitting*, suele interpretarlo de forma equivocada y pensar que su mascota es un aguafiestas o un camorrista. Después se sentirá aliviado al escuchar que lo único que ocurre es que su perro se ha hecho demasiado grande para los demás. Esta «expulsión» resulta también más llevadera si al participante se le ofrece un curso de adiestramiento o algo similar.

Identificar los problemas

En los grupos de cachorros se producen y se hacen patentes diferentes tipos de problemas. Como responsable del grupo, us-

ted debe estar atento a las preguntas y a lo que le cuenten los dueños de los perros. Veamos en ese sentido algunos de los problemas que se presentan y las posibles soluciones.

Miedo

Siempre debe ser motivo de alarma que un cachorro extrañe o incluso sienta miedo ante los humanos. Existe el peligro de que muestre su inseguridad después de la pubertad a base de ladrar histéricamente a visitantes o viandantes e incluso que comience a morderlos. Sería recomendable y necesario mantener una conversación con el dueño y dejarle constancia del problema, pues muchos dueños no consideran grave que el cachorro intente morder a la gente extraña. Lo que no quieren para nada es que su perro se «vaya con cualquiera».

Comer en la mano

Si el cachorro aún es joven y no muestra un miedo muy acusado, existe la posibilidad de que simpatice más con las personas si las siguientes semanas muchos le dan de comer en la mano, de manera que mantenga así un contacto adecuado con

Si intenta sujetar al cachorro de esta forma amenazadora y tan poco hábil, no es extraño que el animal tenga miedo.

los seres humanos (algo parecido se puede decir respecto al miedo que pueda sentir, por ejemplo, ante superficies resbaladizas, sonidos atronadores, etc. Hay veces que siendo un cachorro ya se puede comenzar un proceso intensivo de habituación y realización de ejercicios).

Comportamiento reorientado

Si el miedo es demasiado intenso y hace que el cachorro esté sometido a un fuer-te estrés si hay personas de visita en casa que intentan tener contacto con él o incluso ladra por miedo a los viandantes que encuentra por la calle, lo único que se puede hacer es tratar de limitar los daños. El adiestramiento se debe llevar a cabo de forma similar a como se actúa con un perro adulto con problemas de miedo, aunque siempre es posible interferir con solvencia reorientando el comportamiento antes de que comiencen las

No es normal, sino preocupante, que el cachorro sienta miedo ante personas extrañas.

inseguridades y las agresiones. Por tanto, y de forma preventiva, el dueño debe enseñar al animal a que mantenga el contacto visual con él, a que le empuje ligeramente en la mano con el hocico cuando se encuentra con un viandante, a que se coloque a un lado si el dueño va a tener una ligera charla con el vecino o bien a que se siente (utilizando golosinas) cuando entren en casa las visitas. Serán necesarias algunas clases para enseñarle al dueño la forma de llevar a cabo este adiestramiento.

Agresión

Incluso el cachorro más normal tiene días en los que parece ser peor de lo que acostumbra o pasa por fases de elevada tendencia a la agresividad. No supone ninguna señal de alarma que, en alguna ocasión, un perro actúe de forma agresiva durante una clase de juegos, sin embargo, por desgracia también existen perros que desde muy pequeños parecen ir en busca de camorra. La mayoría de estos suelen ser animales grandes y fuertes que se limitan a jugar de forma muy brusca. Es frecuente que encuentren divertido molestar y avasallar por sistema al resto de los cachorros y que no rechacen las peleas. Por propia experiencia, puedo decir que no es muy buena señal que un cachorro, desde el principio, apenas tenga interés en mantener contacto con los demás.

La gestión adecuada

Por desgracia, no se puede decir que sea fácil modificar la conducta de un perro, porque muchas de sus actuaciones están fijadas de forma genética. Sin embargo, si se sabe por dónde sopla el viento, todavía existe la posibilidad de mantener controlado este comportamiento para que no surjan demasiados problemas en el futuro. Lo importante es instruir al dueño para que reconozca si su perro es-

tá «pasado de rosca» y debe aflojar o cuándo se ha vuelto demasiado agresivo; también habrá que enseñarle a «gestionarlo» a base de *splitting*, de premios por su buen comportamiento frente a los demás perros o por una retirada oportuna mediante la realización de una señal de interrupción. Está claro que para todo eso hace falta una persona comprometida y capacitada para aplicar con resolución estas medidas.

Retirada del grupo

A pesar de que a los perros que muestren una agresión hacia sus congéneres haya que darles una segunda oportunidad dentro del grupo, también es necesario proteger al resto de los animales y evitar que el comportamiento social de estos se desarrolle en una dirección equivocada a causa de la presencia de animales agresivos. La mera existencia de tales agresores puede trastornar al resto de cachorros, pues les va a provocar miedo; en tales casos no existe otra solución que la exclusión del grupo del cachorro agresivo. No habrá más remedio que explicar a su dueño los motivos de una decisión que está basada en un comportamiento poco adecuado. En este caso, ofrézcale un adiestramiento de carácter particular que pueda ayudarle a reorientar la actitud de su mascota.

Defender los juguetes

Si un cachorro protege de forma exagerada un juguete frente a los demás perros, no se puede hacer otra cosa en el grupo que quitar ese juguete de la circulación o la situación se volverá insostenible. Algo semejante ocurre con la avidez desmesurada por la comida: en los ejercicios en que todos los perros corren con total libertad y luego se reparten golosinas, hay que observar muy bien a los perros que defienden las golosinas entregadas por sus amos o que corren hacia otras perso-

nas para hacerse con las chucherías de sus cachorros. El dueño deberá dejar de darle la comida y llevárselo en el momento en que su cachorro amenace a otro perro porque se acerca demasiado a «sus» golosinas y a «su» amo. Si se trata de un problema muy acuciante e, incluso estando en casa, el perro defiende sus juguetes y su comida frente a las personas, el dueño debería pedir una cita particular para que le explicaran cómo eliminar o reducir este comportamiento. Como norma básica se trata de premiar al perro cuando permite que nos acerquemos a su «tesoro» y llevar a cabo un programa de inter-

Cualquier juego violento relacionado con un botín puede provocar agresiones asociadas a la excitación.

Las personas que hacen *footing* en el parque pueden ser consideradas por el perro como presas (en plan de juego). Por lo tanto, es necesario comenzar desde muy pronto el adiestramiento contra el instinto cazador.

cambio en el que el animal aprenda las ventajas de compartir el «botín». Los castigos no hacen más que empeorar su conducta, pues en un primer momento es dueño el que gana, pero luego el cachorro aprende a no dejar acercarse a cualquier persona mientras está en posesión de un «botín».

Persecución y problemas cuando se les llama

Tratándose de cachorros se puede conseguir casi sin problemas, en el caso de perros dotados para la caza, darles ocupaciones sustitutorias antes de que empiecen a perseguir animales silvestres o a buscar huellas. El adiestramiento contra el instinto de caza o perseguidor, junto con algunos consejos al respecto, se pueden incluir en el programa de un grupo de cachorros o en un curso de adiestramiento de los mismos. Es lamentable que la mayoría de los dueños de cachorros suelan desatender todos los «sermones» relativos a esta cuestión porque no les parecen demasiado importantes, pero no pueden imaginarse hasta qué punto podría surgir un auténtico problema en el futuro aunque en la actualidad no han dado muestras del mismo (algo parecido sirve también para los tirones de la correa).

Adiestramiento condicionado

Aunque el dueño del perro se mantenga ojo avizor, el responsable del grupo siempre tendrá que animarlo para que adiestre al cachorro frente al estímulo provocado por una presa (por ejemplo, si ve a cualquier animal en el campo), aunque al propietario le parezca que esa actitud es algo fantástico; la forma de actuar será que corra con el perro en dirección contraria y juegue con él, le lance juguetes, le deje algunas golosinas por el suelo para que las busque y cosas semejantes. Una vez que el animal se sienta menos excitado, se pueden poner en práctica algunas situaciones controladas como, por ejemplo, acudir a un parque zoológico o a una granja avícola con gallinas (está claro que el animal debe ir bien sujeto con la correa). En el caso de cachorros pequeños, de menos de tres o cuatro meses, esto funciona muy bien pues suelen mirar las cosas que se mueven pero no corren tras ellas. Se puede «señalar» al animal que debe quedarse quieto o mirando y, cuando lo haga, se le premiará con elogios o el *clicker*.

Trato con cachorros independientes

De vez en cuando nos topamos con cachorros que desde su más temprana juventud son especialmente independientes y dan la impresión de que pueden y quieren irse solos por el mundo, sin la compañía de nadie. Les falta por completo el instinto típico de cachorro, y hay veces que suelen estar poco concentrados y son difíciles de motivar. A pesar de que es una decepción para el dueño y significa mucho trabajo, por regla general, es fácil invertir esta ten-

dencia. Lo más normal es que haya que llevar al cachorro durante bastante tiempo sujeto con una correa larga. Darle de comer en la mano, practicar juegos conjuntos, cambios constantes de dirección y esconderse alguna que otra vez a lo largo del paseo puede ayudar a crear un nexo de unión entre el animal y su dueño. En el adiestramiento con el *clicker*, una señal auditiva puede servir como premio a una mirada espontánea dirigida al dueño.

Problemas para sujetar con la correa

¿Qué hacer si un cachorro no se deja sujetar con la correa y no se acerca lo suficiente aunque se le llame? La mayoría de las veces es consecuencia de una asociación negativa, es decir, de un comportamiento adquirido que está más marcado con el dueño que con el resto de las personas extrañas. El cachorro ha aprendido que se acaba su libertad si permite que se acerque una mano a su collar, pero también que le desagrada tanto el proceso de sujetarle con la correa que lo evita a toda costa. Esta retira-

Esto no debería ocurrir: de forma incontrolada y fuera del alcance de su dueño, el cachorro adquiere sus primeras experiencias con las gallinas...

da puede, en el peor de los casos, resultar automatizada a través de los procesos de aprendizaje, y el cachorro realizarla de forma refleja y «sin motivo aparente» tan pronto como alguien intenta acercarse a él.

Tener en cuenta el lenguaje corporal

Es muy importante animar al dueño del perro para que no observe al animal como si el ser humano estuviera en un nivel superior y para que no adopte un lenguaje corporal que parezca amenazador. Con el fin de no trastocar la evolución de la sesión, usted, como director del grupo, deberá primero atraer al cachorro con toda tranquilidad o tener la oportunidad de sujetarlo aun cuando el animal perciba que tal acción es poco agradable y no la acepte. El problema también se puede reducir utilizando un trozo de cordel colocado en el collar durante la fase de juego libre, con lo que se evitará la incómoda sujeción por el cuello tan molesta para el animal.

Generar confianza

Para resolver el problema, lo primero que debe hacer el dueño es sujetar o agarrar al cachorro en cuanto éste comience con su actitud, porque después ya será más complicado. Tampoco deberá engañarlo diciendo algo así como: «¡ya te tengo!» atrayéndolo con una golosina para atraparlo enseguida. En lugar de eso, debería activar el *clicker* o hacerle algún elogio si el perro, por sí mismo, establece contacto visual con su dueño y se lanza en busca de su golosina de recompensa. Unas golosinas esparcidas por aquí y por allá pueden sacar al perro de su «deseo de mantenerse alejado». Si se logra que el perro se vuelva a acercar a su amo, éste activará el *clicker* (o lo elogiará), luego le dará una chuchería y se alejará del animal sin sujetarlo por el collar. Después de repetir varias veces esta maniobra, el cachorro se dejará sujetar sin ningún problema siempre que se actúe con sumo cuidado. No obstante, puede producirse alguna que otra recaída, lo

Generar confianza es imprescindible y para eso es importante tener en cuenta la postura corporal. Una mano que llega desde lo alto sólo sirve para provocar inseguridad.

que obligará al dueño a armarse de paciencia.

Handling y mordiscos en la correa

Algunos cachorros tienen grandes problemas para aceptar las limitaciones de su libertad de acción. Les cuesta acostumbrarse a llevar correa, no se dejan sujetar ni cepillar y cuando se intenta encerrarlos llegan a desarrollar auténticas muestras de frustración con ataques de ira. Para que no se produzcan problemas desagradables con el cuidado del pelaje, las visitas al veterinario o cuando se queda solo, hay que animar al dueño a que se esfuerce en dar especial valor a los ejercicios de *handling* o manipulación (véase la página 83). Si fuera

necesario se le puede ofrecer ayuda individual.

Morder la correa a causa del estrés

Para los cachorros de los que hemos hablado no sirve de nada una palabra de prohibición: no la entenderían y reaccionarían con la mayor excitación. Dado que en las charlas con los dueños siempre sale a la luz que los cachorros sólo actúan de esa forma en ciertas situaciones (por ejemplo, durante las sesiones teóricas o al regresar de un paseo), parece confirmarse la sospecha de que son problemas asociados al estrés. En tales casos es necesario rebajar la tensión de esas situaciones u organizarlas para que el perro la pueda soportar y convivir con ella. Por ejemplo, se le puede dar algo como presa sustitutoria para que juegue o lo muerda, o bien, en su caso, elogiarle repetidas veces o incluso darle golosinas hasta que se tranquilice. Lo mismo se puede decir respecto a los perros que, en las pausas entre las sesiones de ejercicios, se dedican a ladrar constantemente.

Si se guardan las distancias y la señal es clara, el ejercicio funciona mucho mejor.

Para que los grupos de cachorros resulten interesantes para los dueños y los animales puedan aprender y descubrir muchas novedades, hay que ofrecer de forma ininterrumpida nuevos ejercicios.
En este capítulo presentaremos algunas ideas que, por supuesto, pueden ser variadas en cualquier momento.

Socialización con las personas

A lo largo de su vida un perro se encontrará de forma constante con personas que le resulten extrañas. Si se siente inseguro frente a ellas, la mayoría de las veces pueden surgir problemas. Por ello el conocimiento de los distintos seres humanos, ya sean hombres, ya sean mujeres, niños o personas mayores, es uno de los ejercicios más importantes cuando el animal es un cachorro. El grupo ofrece la posibilidad de aportar, siempre en condiciones controladas, parte de estas experiencias. El dueño, por su parte, deberá aprender a percibir a tiempo el momento en el que su perro se siente afectado por el estrés y el tipo de lenguaje corporal que mejor puede ejercer un efecto amenazador sobre el animal.

Ejercicios con el grupo

> Intercambio de perros: una persona extraña se acerca de forma amistosa al cachorro, lo acaricia y lo sujeta.
> Un «trato poco hábil»: para curtir un poco al cachorro ante la inevitable mano colocada sobre su cabeza, tanto el dueño como otras personas pueden hacer exactamente eso y, de inmediato, obsequiar al perro con una golosina.

Este cachorro está relajado y «feliz». Se puede reconocer muy bien por su postura tranquila y una expresión desenvuelta en el rostro.

> Moverse entre el gentío: el cachorro, junto a su dueño, avanza por una zona en la que hay muchas personas o bien se mueve entre ellas si se le llama.
> Círculo de personas: el cachorro, junto con su dueño (aunque si el perro tiene una gran estabilidad psicológica también lo pueden hacer sólo), es rodeado por un círculo de personas que, eventualmente, pueden dar palmadas, gritar, etc. También el dueño puede llamar al cachorro desde dentro del grupo de personas para que se incorpore al grupo.

Tener en cuenta el lenguaje corporal

Hay que fijarse mucho en el lenguaje corporal del cachorro. Si intenta marcharse, se queda como cohibido o coloca la cola entre las patas, quiere decir que ya hace tiempo que ha sobrepasado sus límites. Las primeras muestras de malestar, como intranquilidad, jadeos, bostezos, comportamiento elusivo o actitudes similares, deben inducir al dueño a abandonar de inmediato el ejercicio para así reducir la «presión» sobre el perro. También un comportamiento demasiado amistoso y sumiso por parte del cachorro, con constantes movimientos de la cola, ligeros empujones y lametones no tienen por qué tener un mero significado de alegría. De hecho, algunos animales exhiben una especie de irónica sonrisa nerviosa.

Elevar despacio los factores de estrés
Es necesario organizar los ejercicios de tal forma que los cachorros no estén sometidos a ningún estrés. Por precaución, comience con estímulos débiles (por ejemplo correr lentamente en un círculo no demasiado estrecho) y avance hasta llegar a unos estímulos más intensos, siempre que observe que el animal los tolera bien. Si se siente inseguro, ocúpe-

Info   Cachorros miedosos

Si un cachorro tiene miedo ante personas extrañas, está claro que en las prácticas de los ejercicios descritos habrá que proceder con mucho cuidado. En caso de intercambiar perros o bien durante el ejercicio de «trato poco hábil», el responsable del ejercicio deberá quedarse en todo momento cerca del cachorro y explicarle al auxiliar qué debe hacer; asimismo debe tener en cuenta que todo lo que se haga no sobrepase la capacidad del cachorro. En el caso de perros miedosos, el dueño también debe permanecer junto a él en el momento en que intenten acercarse personas extrañas, pero siempre manteniendo un comportamiento neutral.

se de inmediato de que el círculo de personas o el gentío entre el que se mueve se haga mucho más amplio o bien indique a los auxiliares que dejen de dar palmadas, hacer ruido, etc. Además, en estos casos el dueño debe ofrecer a su cachorro una golosina y, si lo estima oportuno, colocarse a su lado de cuclillas para brindarle protección. Los perros que se muestren muy inseguros cuando estén dentro del círculo de personas podrán recibir algunas golosinas por parte de los auxiliares de forma excepcional. A veces, bastan algunas experiencias positivas para que los perros tímidos encuentren que los grupos de personas son algo «fenomenal».

Adiestramiento de la atención

Una persona sólo puede obtener algo de un perro si éste se muestra concentrado. Además, en el caso de los cachorros, es válido decir que una señal auditiva como

«¡Siéntate!» o «¡Échate»! sólo se debe emitir cuando ellos enfocan su mirada hacia quien lanza la orden. Si el animal mira a otro lado o se dedica a olisquear en el suelo, lo más normal es que no la cumpla. Por ello, reaccionar cuando escucha su nombre o establecer, por sí mismo, el contacto visual con «su» ser humano son, quizá, las capacidades básicas más importantes que debe aprender un perro.

Condicionamiento al nombre

Para dejarle claro a un cachorro que su nombre significa algo, el dueño debe hacerse con una golosina y decir el nombre del perro una sola vez con tono amable y prometedor, pero justo en un momento en el que cachorro no esté demasiado dis-

traído. Si en ese instante observa que el animal le mira, procederá a entregarle la golosina acompañada de unas palabras de elogio. Si el perro no reacciona tampoco hay que considerarlo una tragedia, ya que eso no significa que el cachorro sea desobediente, sino que en ese momento no ha encontrado la ocasión de establecer una asociación con su nombre. No hay, pues, que tirarle de la correa o «darle una charla», sino encontrar más tarde un momento adecuado y realizar un nuevo intento. Pronto, la golosina podrá ser sustituida por alguna otra cosa que interese más al cachorro, como puede ser alargar un paseo, intentar un cambio de actitud del dueño, ofrecerse a jugar con él, etc. De todas formas, muchos perros lo

Si el cachorro pretende adelantarse mientras camina junto a usted, es importante llamarle la atención. Eso se consigue, por ejemplo, por medio de una golosina.

aprenden mejor si en lugar de su nombre se utiliza un chasquido que suene de forma neutra; en especial, en familias con niños en las que el nombre del cachorro se repite muchas ocasiones y puede estar un tanto «gastado».

Contacto visual espontáneo

Para el ejercicio del «contacto visual espontáneo», el dueño debe tener sujeto primero al cachorro con la correa y mantener preparado el *clicker*. Después esperar hasta que el animal lo mire por sí mismo. En un primer momento, una mirada a las manos o bien al cuerpo de su dueño es más que suficiente. Después se le puede hacer un *click* (o decirle una palabra de elogio) seguida de la entrega de una golosina que lleve en el bolsillo. Al cabo de algunas repeticiones, el cachorro ya entiende que se le recompensa cuando mira a su dueño y lo realizará adrede y cada vez con más frecuencia. De momento con ello se consigue el objetivo del ejercicio. Si el contacto visual espontáneo se recompensa en varias ocasiones y en distintas situaciones, acaba por convertirse en una reacción absolutamente normal; reconvierte en algo que llama la atención del perro, aunque no sepa en realidad qué se espera de él. Por ello, este ejercicio también debe hacerse sin utilizar una señal auditiva. Asimismo resulta adecuado practicarlo como preparación en situaciones nuevas en las que el animal esté distraído: si el perro aún no está capacitado para realizar un contacto visual, la mayoría de las veces no tiene ningún sentido intentar otros ejercicios más complicados.

Llamada en diversas situaciones

Con estos ejercicios el dueño tendrá la seguridad de saber cuándo puede dejar que su perro corra sin ir sujeto por la correa, pues podrá valorar mejor las situaciones en las que puede, o no, llamar sin problemas al animal. Por ello, es necesario aclararle muy bien al dueño que este instinto de persecución acabará por desaparecer y que es mucho más importante practicar el proceso de llamar al animal en diversas situaciones durante el tiempo que sea necesario hasta que estas le queden fijadas.

Ejercicios con el grupo

> Ejercicio básico: llamar al perro mientras está sujeto por la correa. El dueño llama la atención del animal mostrándole una golosina o un juguete. Primero lo llama y se aleja un par de pasos del animal. Por supuesto, si el animal sigue a su dueño recibirá muchos elogios y la golosina (o el juguete).

> Llamarlo cuando está un poco distraído: un ayudante llama la atención del cachorro (por ejemplo, permitiendo que el animal olfatee su mano). El dueño llama al perro. Si el cachorro no reacciona, entonces el ayudante deberá dar un paso hacia atrás a fin de que disminuya la atención. El dueño hará un nuevo intento.

> Llamar con un ayudante: un auxiliar sujeta con firmeza al cachorro y el dueño lo llama. Variantes posibles: el dueño se aleja corriendo con el juguete y llama al perro; el dueño se esconde, se disfraza, se tumba en el suelo o da la espalda al animal y luego lo llama; el perro deberá dar rodeos, superar obstáculos o pasar por alto algo que le llame la atención (por ejemplo, otras personas o un perro) para poder llegar hasta su dueño.

> Dos personas llaman al perro desde lugares distintos; es un juego muy adecuado para familias que tengan niños.

> Llamar al perro mientras juega y dejarlo correr de nuevo. Esto sólo funciona al principio si está conectado con

algo que suponga un gran atractivo para el animal. El dueño debe esperar a un momento que sea favorable antes de llamarlo o bien acercarse al cachorro con una golosina atractiva y pronunciar su nombre una vez que lo vea interesado.

> Llamar al perro y, una vez que se haya acercado, intentar mantener su atención con algo que lo mantenga sujeto a él, por ejemplo dándole varias golosinas pequeñas, una detrás de otra, jugar o atraerle con la llamada «¡Siéntate!» o «¡Échate!».

Motivación a través del ejercicio

En todos los ejercicios de llamada es importante que el dueño haga la llamada una sola vez, pero de una forma clara y amistosa, con un tono de entusiasmo en la voz. Después, cuando el perro se dé cuenta y se vuelva hacia él o se le acerque corriendo, el propietario deberá realizar un chasquido con el *clicker* o hacerle un elogio y motivarle para que se acerque a mayor velocidad. Esto funciona muy bien con cachorros muy pequeños cuando el dueño, a modo de invitación, se coloca de rodillas y, si lo estima necesario, mantiene una golosina en la mano. Los cachorros algo mayores o los perros pequeños se motivan de forma muy especial a través del ejercicio: el dueño debe agitar un juguete o arrastrarlo por el suelo, hacerle señas con una golosina o alejarse corriendo del animal. Si el perro se acerca, hay que sujetarlo, de forma inmediata, desde arriba y no agacharse hacia él para ponerle la correa. En lugar de eso, lo primero que se debe hacer es elogiarlo, darle algo de comer, jugar durante un momento o acariciarlo. Después de todo eso,

Llamar al perro desde un lado y otro por parte de dos miembros de la familia puede ser un ejercicio muy útil que, además, resulta divertido.

desde un lado o desde abajo sujetar el collar del perro y colocarle la correa.

Llamar a cachorros muy miedosos

Si usted, como monitor del ejercicio, sujeta a un cachorro para que su dueño le pueda llamar, no debe acercarse al animal con ademán amenazador ni colocarle una mano por delante del pecho para que no se atemorice. Si nota que el cachorro siente algo de miedo frente a usted, puede ofrecerle una golosina y apartar la vista de él. Si observa que tiene mucho miedo, sólo debe sujetarlo con la correa cuando esté a cierta distancia y quitársela una vez que lo hayan llamado. También puede ser que el dueño le coloque un trozo de cordel por debajo del collar y usted, como monitor, sujetarlo por el final de dicho cordel y hacer que se deslice por el collar una vez que el dueño llame al cachorro.

Concentración en el dueño

Primero se debe soltar al cachorro y luego el dueño debe llamarlo, si es posible en un momento en que no esté asustado o ladrando, para evitar que refuerce ese comportamiento indeseable. El animal echará a correr hacia el lugar al que dirija la mirada, por lo que sólo debe soltarlo una vez que haya comprobado que ve a su dueño.

Problemas con la orientación

En ocasiones los cachorros jóvenes parecen tener problemas de orientación, por lo que al principio habrá que decirle al dueño que se aleje sólo unos pocos pasos. Después deberá moverse un poco o dar algunas palmadas para que el cachorro capte mejor su presencia. También puede atraer la atención del perro y lograr que permanezca concentrado tentándolo con una golosina. Si el cachorro no se atreve a marcharse, entonces debe ser el mismo monitor quien dé un par de pasos en dirección al dueño. Entonces, la mayoría de las veces el cachorro también avanzará. Si el perro aún titubea, su dueño debe desplazarse hacia un lado, pues un posicionamiento frontal estático puede ser considerado como un gesto de amenaza e impedir que el animal quiera acercarse. También puede ayudarlo haciendo un gesto con la mano, que debe dejar caer muy tranquilamente.

Cuanto más claro sea el cambio entre los juegos asociados al ejercicio y a la diversión con los de «presa muerta», más fácil le resultará al cachorro aprender cómo hay que proceder.

Ocupación y juego con cachorros

Aquí se trata, por una parte, de mostrar al dueño cómo puede estructurar un juego que resulte atractivo y, por otra, cómo debe hacerlo para que el perro esté controlado en todo momento. Si el director del grupo tiene preparada una cierta variedad de juguetes, todos los propietarios podrán comprobar cuál es el favorito de su perro.

Jugar adecuadamente

> El dueño juega con el cachorro (que, en su caso, al principio puede estar atado).
> El dueño juega con el cachorro o lo tienta con golosinas a la vez que pasa por delante de otros perros. Esto ayuda a que el perro aprenda a caminar ante sus congéneres y a mantener, además, la concentración fija en su dueño.
> Realizar juegos de búsqueda como un estímulo para las tareas propias de cada tipo de perro y para el establecimiento de un vínculo: el dueño esconde golosinas o un juguete mientras su perro (que puede estar sujeto por un ayudante) se dedica a mirar.

Después, amo y cachorro comienzan a buscar.

La mayoría de las veces los cachorros prefieren los juguetes que son blandos (animales de tela, peluches...) y todos aquellos que tienen algún tipo de «apéndice» (por ejemplo, un cordel que sujeta dos pelotas o algo semejante). Una cuerda resulta muy práctica pues se trata de un juguete que, en sí mismo, ya es una presa, pero resulta mucho más interesante si se mueve, como una pequeña presa, que si se mantiene inmóvil sobre el suelo. En ocasiones, también ayuda introducir algún incentivo, por ejemplo, jugar, por ejemplo, lo haría con un gatito con un ovillo de lana.

Aprender a devolver una «presa»

En el fragor del «tira y afloja» hay que mantener el juguete enrollado en la mano, lo más cerca que se pueda del hocico del perro y sujetarlo con toda tranquilidad. Entonces, el juego pierde gran parte de su atractivo debido a que la «presa» ya está «muerta». Por eso, una vez pasado un tiempo, el cachorro aflojará su agarre y acabará por soltarlo. En ese momento, el dueño debe elogiarlo y volver a agitar el juguete a modo de invitación. De inmediato, el perro reaccionará como si «pensase» lo siguiente: «Si suelto pronto, el juego continúa y vuelve a ser divertido» pero, al mismo tiempo, y aunque esté rebosante de excitación, interiorizará muy bien que se debe al estupendo proceso de devolución. Lo importante es que el dueño no intente quitarle el juguete tan pronto como el cachorro afloje un poco la tensión, pues en ese caso aprenderá que debe sujetar con mucha mayor firmeza. Una vez que el proceso se haya convertido en una rutina, se puede introducir la correspondiente orden verbal, un «¡Dame!», tan pronto como el cachorro empiece a soltar su presa.

Aquí se han producido dos errores una vez que el animal ha decidido saltar: el hombre debería haberse mantenido de pie, erguido, y con el juguete alejado del alcance del perro.

Saltar

Por el simple hecho de que una persona mantenga un juguete en la mano, el perro no debería saltar para intentar quitárselo. El dueño del animal puede dejar esto bastante claro si permanece de pie muy erguido y sujeta el juguete pegado a su propio cuerpo, pero a una altura tal que el cachorro, aunque salte hacia él, no sea capaz de alcanzarlo. Además puede agregar la palabra «¡No!» con un tono severo y servirse de la otra mano para mantener al perro alejado del juguete.

Una vez que el perro deje de saltar durante unos instantes, se puede continuar con el juego si la persona acerca el juguete al animal y lo invita a hacerse con él.

Consejo   Interrupción del juego

Si el cachorro intenta atrapar la mano de su dueño, o tirarle de la ropa, durante el juego, debe recibir un toque de atención mediante la orden «¡No!» pronunciada en tono bastante alto y drástico. Además, el dueño interrumpirá el juego, se quedará en una posición erguida y algo rígida, cruzará los brazos e ignorará por completo al cachorro (sin mirarlo ni regañarlo).

Control de los impulsos

Un perro que no haya sido educado no mantiene el control de sus impulsos. Vive de acuerdo con el lema: «¡disfruta de inmediato!». Si quiere comida, la conseguirá, da igual que esté en un anaquel de la cocina o que se la quite de la mano a un niño pequeño. Si quiere saludar a alguien, le saluda, no importa que el dueño tire de su correa o que la persona en cuestión no quiera ser saludada. Un perro bien educado entiende, en cambio, que el camino para obtener lo que desea se basa en su propio control. Eso significa que se sienta si quiere recibir comida, puesto que sólo reciben golosinas ese tipo de perros. También saluda a las personas pero mantiene las cuatro patas sobre el suelo, puesto que sólo los perros que se comportan así merecen alguna caricia; y así sucesivamente.

Hacerse con las golosinas de forma cuidadosa

El dueño ofrece al perro una golosina, pero la mantiene sujeta de tal forma que entre sus dedos sólo sobresale una parte. Así, si el cachorro se comporta con brusquedad, el dueño retiene la golosina, pero si obra de forma muy cuidadosa recibirá la chuchería que se ha ganado. Como los intentos fallidos de un perro ávido de golosinas pueden, en principio, llegar a hacer daño, cabe decir que esta forma de actuar sólo es válida para que la practiquen personas adultas. Para realizar otros ejercicios también se puede colocar al cachorro en una situación de especial nerviosismo o deseo utilizando golosinas que sean muy sabrosas o bien «molestarlo» con esas golosinas antes de entregárselas.

Esperar ante las golosinas

El cachorro debe aprender que antes de percibir una determinada orden verbal no puede tocar una golosina. A pesar de que esto también es el fundamento para la práctica de una señal de interrupción, debe mantenerse en primer plano el hecho de que es necesario recompensar al cachorro mientras éste se domine.

Por ejemplo, con la orden «¡No!» el dueño hace esperar al cachorro, y si éste pretende hacerse con la comida, aquel cierra la mano (no la retira, sólo la cierra). La mayoría de los cachorros lamen la mano, la mordisquean o incluso golpean levemente el puño con sus patas delanteras, pero el dueño del perro debe ignorar todas es-

tas señales. Si, en cambio, el cachorro se aleja de la mano, entonces debe recibir un *click* (o un elogio) seguido de la golosina. Al principio basta con que se contenga durante un segundo. El objetivo es que, después del «¡No!», la golosina se pueda mantener en la mano abierta del dueño y al alcance del animal. Después ya se prolongarán los momentos de espera.

Ejercicios para avanzados

Como una variante para cachorros en un estadio avanzado de adiestramiento, se puede colocar la golosina en un recipiente, sobre un taburete, en el suelo o hacer que se la ofrezca una persona que haga de ayudante. En este estadio, el cachorro ya no recibe como recompensa la golosina que le fue ofrecida o enseñada al principio, sino una procedente del bolsillo de su dueño.

Esperar tranquilamente sujeto por la correa

El objetivo es que el cachorro aprenda a estar calmado –*steady*– mientras permanece sujeto por la correa. Ese término inglés es el que se utiliza para perros de caza que, atados a la correa y sin tirar de ella, deben permanecer tranquilos junto al ca-

También a la hora de comer se dispone de la posibilidad de practicar un importante control del impulso.

Para llevar al animal sujeto por la correa es importante que la persona se mueva de la forma más regular posible en su paseo por el campo. Es útil disponer de una correa algo más larga.

zador a la espera de su turno, a pesar de que haya un animal silvestre que salte por delante, suenen disparos o bien se envíe a un perro cercano para cobrar una pieza abatida. En el caso de los perros de caza ese comportamiento debe ser inexcusable, por lo que se debe practicar de forma constante. Sin embargo, también merece la pena realizar ese adiestramiento con los perros domésticos familiares. El perro debe contemplar todas esas cosas interesantes que tienen lugar fuera del alcance de su correa, pero no esperar sin dar tirones ni intentar soltarse de ella.

Como ejercicio básico debe mantenerse la correa de tal forma que quede floja, aunque bien sujeta en el collar o el arnés. De esa forma se puede detener de inmediato al animal sin necesidad de dar un golpe brusco. Como «objeto» que aparezca fuera del alcance de la correa se puede considerar apropiado, en un primer momento, cualquier golosina que

lleve en su mano un auxiliar y que se encuentre alejada del campo de acción del animal. Si el cachorro se domina y no intenta tirar de la correa, deberá recibir un *click* (o un elogio) por parte del dueño que, además, le recompensará con una golosina o un juego (en ocasiones también se le puede permitir el acceso al objeto deseado); si, en cambio, salta, será sujetado por medio de la correa.

Ajustar el grado de dificultad

La distancia entre el cachorro y el «objeto» puede servir para regular el grado de dificultad del ejercicio. Si, a pesar de varios intentos, el cachorro no consigue mantenerse tranquilo, entonces es necesario aumentar de forma considerable la distancia al objeto hasta que logre alcanzar esa tranquilidad. Las variantes a practicar con los más avanzados pueden ser las siguientes: mostrarle un juguete; lanzar una golosina; hacer que ruede o se mueva delante del animal cualquier juguete; colocarse una persona fuera del campo de acción de la correa; pasar una persona por delante del cachorro; pasar esa persona con una bolsa de la compra en la mano, etc. Muy importante, aunque

bastante más complicado, es conseguir que el cachorro aprenda a mantenerse tranquilo a pesar de que se encuentre cerca de otro perro; esa es también una forma de prevenir los problemas de agresión que pueden surgir al coincidir varios perros (véase la página 119).

Ir con la correa floja

En su aspecto básico, «sólo» se trata de mantenerse en calma, pero en movimiento. Puesto que en su camino el perro joven se topa una y otra vez con objetos y olores nuevos e interesantes, por lo general prefiere ir delante de su dueño; es algo que plantean los cachorros y perros jóvenes y que debe ser siempre practicado con mucha paciencia. El principio del ejercicio está compuesto por dos partes muy importantes: por un lado, el cachorro recibe elogios por caminar a nuestro lado dentro de la libertad de acción que le proporciona su correa mientras que, por otro lado, no debe tener éxito a la hora de tirar de la correa.

Estructuración del ejercicio

Para que el cachorro aprenda a caminar a la altura de su dueño, éste debe mostrarle, al principio, una golosina y dejarla caer al suelo. Mientras el perro devora la chuchería, el dueño continúa su camino, de tal forma que el perro percibe la imagen de una persona que se aleja de él mientras le mira. Luego, cuando vaya en pos de su dueño, recibirá un *click* (o una palabra de elogio) tan pronto como se coloque a su lado. De nuevo se vuelve a dejar caer al suelo una golosina y se repite el proceso. Puesto que comer del suelo hace que el animal vaya más lento, tendrá que darse cada vez más prisa para alcanzar a su dueño. Gracias al *click* (o al elogio) aprenderá que es muy recomendable caminar junto a su dueño y comenzará a preocuparse activamente para conseguir esa posición y mantenerla. Después pueden sucederse los *clicks* (por ejemplo, si el perro ha caminado algunos pasos de forma «ordenada») y las golosinas se podrán volver a dar con la mano. Lo mejor para realizar este ejercicio es disponer de una correa que sea un poco más larga (por lo menos de metro y medio).

Por otra parte, el dueño debe quedarse parado de inmediato y en silencio si el cachorro tira de la correa por delante de él. Así debe esperar hasta que la correa

Si el perro nos acompaña correctamente, de vez en cuando puede recibir alguna golosina. Si tira de la correa, su dueño se detendrá de inmediato.

queda de nuevo floja porque el perro vuelve hacia él; sólo entonces reanudará su camino (puede que en ese momento sea interesante hacer un cambio en la dirección del paseo).

Sistema de doble guiado

Los ensayos para llevar a un perro de forma adecuada con la correa requieren tener mucha paciencia, perseverancia y práctica. Sin embargo, puesto que los cachorros y perros jóvenes tienen la capacidad para dominarse algo limitada, la mayoría de las veces se recomienda la utilización de un doble sistema de guiado. Durante los primeros meses, por ejemplo, el cachorro siempre llevará un arnés de pecho y una correa. Los ejercicios de *stop & go*, con los *clicks* y las golosinas, se realizarán por lo general con la correa enganchada al collar. Si surge una situación en la que ya no se puede practicar más la docilidad con la correa (por ejemplo, porque ya se ha agotado la paciencia, tanto del perro como del dueño, porque de repente se tiene prisa o bien porque la situación ha llegado a tal extremo de excitación que, a pesar de poner toda nuestra mejor voluntad, ya no se puede dominar al perro), habrá que engancharla al arnés del pecho y el animal percibirá de esa forma que tiene ciertas limitaciones en sus movimientos. Así se mantiene la lógica y el animal aprenderá la lección (es decir, «¡No se tira de la correa!») sin tener que exigirle demasiado.

Esperar en puertas o líneas de demarcación fijadas arbitrariamente

Se trata de un ejercicio de control de los impulsos del perro y de una «imposición moderada» por parte del dueño. El perro y su amo se acercan juntos al umbral de una puerta o una zona similar en la que se observe una limitación muy perceptible. Tan pronto como el animal quiera atravesar dicha línea, el dueño le dirá «¡Espera!» o «¡Quieto!» y echará al perro hacia atrás colocándole la mano en el pecho. Una vez que el perro esté detrás de la línea de referencia, se le debe soltar y repetir el proceso las veces que sea necesario hasta conseguir que no intente cruzar ese umbral.

Cuando el animal se mantenga por detrás de la línea, se le debe elogiar e incluso entregarle algo a cambio. De esa misma forma se puede practicar, por ejemplo, que el animal no salte del coche hasta no recibir la autorización correspondiente.

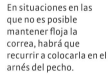

En situaciones en las que no es posible mantener floja la correa, habrá que recurrir a colocarla en el arnés del pecho.

Saltar

Dado que el instinto del cachorro le lleva a saltar sobre las personas y lamerles la cara, también resulta un buen ejercicio de control de los impulsos el adiestramiento para que cese en esas prácticas o para que las cambie por otros tipos de comportamiento de saludo. Bastaría, al tratarse de un cachorro, que todas las personas que tuvieran un cierto trato con él lo ignoraran absolutamente cada vez que saltara.

La situación varía si el cachorro salta sobre una persona extraña, pues no cabe esperar que todo el mundo sepa reaccionar favorablemente y con entusiasmo. A la hora de saludar a personas extrañas, lo mejor es que el dueño coloque uno de sus pies sobre la correa para acortarla e imposibilitar el salto del cachorro. Es una situación que se puede practicar muy bien en el grupo de cachorros, donde la ventaja reside en que distintas personas (incluidos niños) saludan tanto al dueño del perro como a su cachorro o bien un auxiliar que lleva en la mano una bolsa que desprende un fantástico olor se coloca al lado de los cachorros.

Mendigar con insistencia

Puede ocurrir que, al haber tantas golosinas en la zona de adiestramiento, algunos cachorros piensen que pueden mendigar comida a otras personas. En ese caso, el perro no debe obtener ningún premio hasta que, si se actúa con la suficiente perseverancia, el animal abandone finalmente esa costumbre. En este caso, también el grupo de cachorros y sus respectivos dueños, que pueden actuar ahora como ayudantes, ofrece una buena posibilidad para realizar ejercicios orientados a impedir esa actitud de mendicidad. Para ello, todos los presentes mantendrán en la mano una golosina e intentarán atraer con ella a los cachorros que pasen cerca. Si el animal quiere ha-

cerse con una chuchería, la persona que la sujeta se debe marchar sin hacer ningún comentario. El cachorro sólo recibirá la golosina en caso de pedirla a su propio dueño. Este es un ejercicio muy efectivo. En caso de que en el grupo existan cachorros muy ansiosos por la comida, el director del ejercicio deberá cuidar de que no se produzcan incumplimientos de la norma. En ciertas ocasiones, lo más razonable sería realizar el ejercicio con los animales sujetos por la correa y no con todos ellos a la vez, sino trabajando con subgrupos más pequeños.

Saltar es un comportamiento natural de saludo, pero es posible hacer que el perro pierda esa costumbre solo con ignorarle cada vez que lo haga.

Ejercicios de tolerancia

Los ejercicios de tolerancia a la manipulación también se denominan *handling*. Son muy importantes para poder realizar con el animal la higiene correspondiente y para las visitas al veterinario. Por

«Enséñame las patitas...

esa razón, un cachorro debe aprender a tiempo a dejarse manipular por todas partes, aunque lo hagan personas extrañas. Sólo por mantenerse quieto y tranquilo se le debe recompensar con caricias, pero se debe tener en cuenta que tanto los perros miedosos como los agresivos pueden plantear problemas con el *handling*. Incluso un perro que se agita amistosamente y comienza a morder de forma juguetona puede acabar agotado y nervioso después de un cepillado o de eliminarle las garrapatas. Del mismo modo, algunas tareas importantes –que comentaremos en este apartado– como, por ejemplo, el reparto de la comida o de objetos, con la correspondiente espera, es algo que el perro debe aprender a soportar aunque no le guste demasiado. Algunos cachorros aprenden los ejercicios sin ningún tipo de problemas, en cambio a otros les resulta complicado ver coartada su libertad y por eso deben ser «amansados» con mucha tranquilidad. Para estos cachorros es un ejercicio muy importante, aunque no siempre resulte sencillo explicárselo a sus dueños.

Ejercicios con el grupo
> Dejarse sujetar por todo el mundo, ya sea el dueño o una persona extraña.
> Sujetar al perro tanto si se encuentra sentado como de pie.
> Practicar el cepillado y el secado.
> Colocar al perro sobre una mesa.
> Simular que se le mide la temperatura.
> Tragar pastillas.
> Ponerle un bozal normal o uno de correa (tipo Halti).
> Fortalecer al perro para que soporte bien las sujeciones aplicadas sobre la piel o en la correa.
> Esperar atado.
> Repartir comida o juguetes.

Tranquilidad y paciencia
En todos los ejercicios de *handling* es necesario que el dueño se comporte con tranquilidad y lucidez. Si el propietario se muestra nervioso, tímido o impaciente, lo transmitirá a su entorno y hablará de forma ininterrumpida al cachorro, con lo que los ejercicios no irán demasiado bien. Lo importante es que todas las medidas estén bien dosificadas, de forma que el cachorro no las perciba como algo desagradable. El director o el instructor del ejercicio deben observar muy bien los síntomas de miedo o estrés en el cachorro y también explicarle al dueño del animal cómo reconocer que su mascota percibe excesiva exigencia.

Ejercicio de tocar
Se comienza con unos sencillos ejercicios en los que basta colocar la mano sobre el

… y ahora las orejas.»

animal. Si éste se mantiene tranquilo, se emite un *click* o se le elogia y se le da una golosina, pero después se retira la mano y así se interrumpe esa insistente práctica. Si el cachorro se mueve alrededor de la persona que le acompaña, esta permanecerá muy tranquila e intentará volver a colocarle la mano sobre el hombro y encontrar un momento de sosiego para premiarle. Si no lo consigue es señal de que la progresión del ejercicio es demasiado apresurada. El dueño debe esforzarse por ver si funciona mejor tocándole otra parte del cuerpo, o recompensarle y realizar un *click* si permanece tranquilo al colocar su mano al lado, puesta relajadamente en el aire pero sin entrar en contacto con el perro.

Consecuencias

Si en los ejercicios de *handling* se producen posturas de terquedad y rebeldía, o al cepillarlo se retuerce y muerde de forma juguetona, el cachorro no debe ser ni castigado ni regañado, bastará con sujetarle de una forma amistosa, aunque firme. Si el dueño tiene problemas con la coordinación o es algo tímido, el ejercicio con el cachorro puede ser realizado al principio por alguien del equipo que sea de confianza. Normalmente, se consigue mucho más éxito con el ejercicio si la persona que lo lleva a cabo no es el propio dueño.

Jugar a veterinarios

Colocar al cachorro sobre la mesa sirve de ensayo para preparar las visitas al veterinario o a la peluquería canina. También en este caso, el director del juego debe tener muy en cuenta que la superficie de la mesa no sea resbaladiza y, además, ayudarle de tal forma que el cachorro no pueda retroceder y caerse de la mesa. Se trata, sobre todo, de que el cachorro adquiera una experiencia positiva ante esa situación. Si se muestra inseguro, lo mejor es darle algunas golosinas y acariciarlo una vez colocado sobre la mesa. Si, a pesar de la novedad no parece demasiado impresionado, se pueden practicar algunos ejercicios de *handling* sobre la mesa. Este ejercicio también representa una buena oportunidad para mostrar al dueño cómo debe levantar del suelo a su cachorro, cosa que nunca hay que hacer sujetándolo por las axilas, como si fuera un niño pequeño, sino colocándole una de las manos, a modo de apoyo, en la parte posterior.

Medir la temperatura y administrar pastillas

A la hora de comprobar la fiebre que tiene es cuestión de que el perro aprenda a quedarse de pie mientras se le levanta la cola y se toca su parte posterior. Para aprender a tragarse las pastillas, el dueño se debe poner en cuclillas, colocar al

No hay que exagerar los ejercicios de hacer intercambios: seguro que se pondrá de muy mal humor si, mientras come, se le quita el plato una y otra vez.

cachorro delante de sus piernas, abrirle con suavidad el hocico y ponerle una golosina sobre la lengua. Claro, que al principio el cachorro encuentra algo desagradable la prueba, pero dado que es un proceso muy corto y que acaba por rematarse con una golosina, se acostumbra enseguida a él.

Bozales de correa (tipo Halti) y normales

A la hora de colocar el bozal, el responsable del ejercicio tiene la oportunidad de explicarle al dueño del animal que en ciertas circunstancias, ya sea en su país o en el extranjero, puede suceder que el perro, por muy pacífico que sea, esté obligado a llevar un bozal y para qué sirve un collar tipo Halti. Para practicar con el cachorro es suficiente mostrarle al dueño la forma de actuar y para generar una experiencia positiva en aquél basta darle algunas golosinas al mismo tiempo que se le introduce el hocico en la abertura del bozal.

Otros ejercicios de tolerancia

Muchos cachorros encuentran poco agradable la experiencia de notar una mano que los sujeta porque lo ven como una actitud algo amenazadora que puede significar el fin de su libertad. No obstante, existen situaciones en las que es necesario sujetar de forma muy segura al animal (por ejemplo, para evitar que corra por una calle o carretera); otras veces es un niño quien, para sorprenderle, lo sujeta desde atrás aferrándole por la piel. Para que el pobre perro no se lleve un susto de muerte o se dé la vuelta con intención de propinarle un mordisco, se puede realizar el siguiente ejercicio: en una fase de juego libre se proporciona una golosina a todos los dueños; después se sujeta con una de las manos a cualquier cachorro que pase, o se le coje por la correa o por el arnés y se le engancha con suavidad por el pelaje, y con la otra se le entrega la golosina y enseguida se procede a soltarlo otra vez. Es necesario que todo el proceso se realice de forma muy cuidadosa si el cachorro es excesivamente miedoso, aunque, en ocasiones, lo mejor que se puede hacer es excluirlos de este ejercicio. También se puede decidir que sea uno de los cuidadores del equipo el que realice esta práctica con los animales que parezcan más huraños.

Ejercicio de atar

Para este ejercicio el dueño deja atado a su cachorro y, a continuación, se aleja unos pasos. Si el animal tira de la correa, ladra o aúlla, aquél debe ignorarle. Si el perro espera con tranquilidad, el propietario hará un *click*, volverá hacia él y le dará una golosina. En caso de que el cachorro muestre una reacción nerviosa, conviene practicarlo sólo desde una distancia muy corta (el dueño se coloca a menos de un metro del animal y, si lo estima necesario, le lanza algunas golosinas).

Intercambio

El reparto también se puede practicar a base de intercambios. Para ello, el cachorro, que está atado, recibe, por ejemplo, un hueso para roer. El dueño, a su vez, lleva consigo un par de golosinas muy sabrosas. Se acerca al cachorro y le ordena: «¡Dámelo!», mientras le ofrece una de las golosinas. Si el perro muestra una especial reserva a la hora de entregar las cosas, al principio no será nada fácil arrebatarle el hueso. En un primer momento, «sólo» debe asociar como algo bueno el hecho de que una persona se le acerque en esta situación. En el caso de que acercarle una mano lo interprete como un elemento negativo, se le puede lanzar la golosina desde algo más lejos.

Adaptación al entorno

Algunos dueños de cachorros, ya sea por un exceso de exigencia, ya sea porque so-
brevaloran a sus animales, tienden a pedirles demasiado. Para evitarlo conviene vigilar con mucho cuidado el trabajo con aparatos y explicar siempre al participante que no se trata de que el cachorro supere un obstáculo a cualquier precio, sino que basta con que se esfuerce y adquiera experiencias positivas.

Para ello, el cachorro debe ser guiado muy despacio por encima de pasarelas, balancines u obstáculos en el suelo (véanse las páginas 26 y siguientes), y el dueño siempre debe acompañarlo situado a su misma altura. Si se atrae al animal con una golosina, ésta debe mantenerse por encima del obstáculo de forma que el cachorro vea por dónde puede pasar. Si el animal manifiesta miedo ante los ejercicios con aparatos, no se le debe obligar jamás a practicarlos, sino intentar reorganizarlos para que le resulten más sencillos de salvar (juntar los túneles, hacer que las pasarelas sean menos empinadas, levantar algo las cortinas, etc.). Es necesario reforzar el comportamiento deseado. Por ejemplo, si el cachorro coloca una pata sobre el obstáculo o se sienta sobre él, recibirá unas palabras de elogio (o un *click*) y una golosina.

Estímulos visuales y sonoros

Estímulos visuales pueden ser, por ejemplo, pañuelos que se agitan; paraguas abiertos, banderas que ondean; molinillos de viento, personas disfrazadas,

Si a la hora de trabajar con aparatos se utiliza una golosina para atraer al animal, ésta debe colocarse muy cerca del obstáculo para que el cachorro pueda ver dónde pisa.

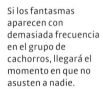

Si los fantasmas aparecen con demasiada frecuencia en el grupo de cachorros, llegará el momento en que no asusten a nadie.

personas con bastón o cualquier otra circunstancia que haga que se muevan de una forma especial, animales de plástico de tamaño natural, pelotas grandes, globos, espejos, etc.

Estímulos sonoros pueden ser, por ejemplo, golpear entre sí tablas o tapas de cacerolas, dar palmadas, moverse con alboroto, gritar, dar taconazos, tocar la bocina, disparar con pistolas de juguete o con cartuchos de fogueo, instrumentos musicales, crujidos, aparatos de música a alto volumen, hacer estallar globos (¡cuidado!, conviene retirar inmediatamente los trozos de goma que hayan quedado sueltos), juegos, como por ejemplo un coche de policía que haga ruido con la sirena u otros que produzcan ruidos atronadores, fuegos artificiales, bengalas, etc.

Elevar poco a poco la intensidad del estímulo

Es necesario comenzar siempre con una intensidad bastante baja y vigilar a todos los cachorros para observar los posibles signos de miedo o estrés, antes de decidirse a aumentar la potencia del estímulo. Si, por ejemplo, un cachorro se acobarda ante un determinado sonido, es necesario hacérselo saber a su dueño quien, sin hacer ningún tipo de recriminación al animal, le ofrecerá una golosina para generar un enlace positivo con el suceso.

Miedo ante determinados objetos

Si un cachorro se asusta, por ejemplo, ante una persona disfrazada, el dueño debe ponerse en cuclillas y colocar al cachorro delante o a un lado de él, pero nunca dirigirle unas palabras de consuelo. Por su parte, la persona disfrazada debe ir quitándose las prendas de su disfraz y entablar un contacto amistoso con el perro, a la vez que le entrega unas cuantas golosinas, para que este compruebe que no existe ningún peligro.

Si el cachorro se asusta ante una figura, un espejo o algo semejante, lo mejor que se puede hacer es esperar. En muchas ocasiones, la curiosidad resulta mucho más fuerte que el miedo y el cachorro acaba por explorar y reconocer el objeto, utilizando, eso sí, toda clase de precauciones. ¡Debe ser elogiado por su actitud! El dueño también puede ponerse un poco en el papel de actor y, a modo de «perro guía», tratar de reconocer el objeto.

«¡Siéntate!», «¡Échate!», «¡Quieto!»

Las señales básicas habituales («¡Siéntate!», «¡Échate!» y, eventualmente, «¡En pie!» y «¡Quieto!») no son, al fin y al cabo, tan importantes como el resto de las capacidades básicas. En el grupo de cachorros se pueden practicar los fundamentos, pero no es necesario, sobre todo a la hora del «¡Quieto!», que el dueño del perro utilice una exigencia demasiado elevada.

Ejercicios con el grupo

> Fundamentos de la órdenes de «¡Siéntate!», «¡Échate!» y, eventualmente, «¡En pie!».
> Fundamentos del «¡Quieto!».
> Ejercicios con la manta o la alfombrilla.

Las tres posiciones

En un primer momento se debe practicar sin señal auditiva alguna la forma de atraer a un cachorro a una posición determinada ofreciéndole una golosina. En especial para la orden «¡Échate!», son muchos los cachorros con los que hay que hacer bastantes prácticas hasta que funcione perfectamente. Lo importante es mover la golosina en vertical hacia abajo. Si el cachorro no se quiere tumbar, se le debe premiar aunque al principio cometa algún fallo en su tarea (como, por ejemplo, si sólo se agacha hasta la mitad).

Tan pronto como el cachorro llegue a la posición deseada, debe recibir un *click* (o un elogio) acompañado de la golosina. Una vez que todo funcione sin problemas, hay que incorporar la señal auditiva, que se pronunciará una sola vez antes de intentar atraerle.

El siguiente paso debe ser realizar el ademán de invitación al ejercicio con la mano vacía y, después del *click*, recompensar al cachorro con algo que se tenga preparado en el bolsillo o en la otra mano.

Mantener la posición

Para realizar este ejercicio caben dos posibilidades: o bien limitarse a retrasar el momento del *click* durante unos segundos de manera que el cachorro permanezca más tiempo en la posición hasta obtener su premio (una forma de proceder que suele funcionar sin problemas con la orden «¡Siéntate!»), o bien dándole su ración de comida una vez que el cachorro ya está en la posición correspondiente (esta es la que la mayoría de las veces da mejores resultados con las órdenes «¡Échate!» o «¡En pie!». Para ello, en una de las manos se tiene preparado un *clicker* y en la otra algunas golosinas. Si el cachorro se coloca en la posición adecuada, entonces se realiza un *click* o se le dan varias golosinas, una detrás de otra con toda rapidez, de forma que no tenga tiempo para moverse. Para la orden «¡Échate!», lo mejor es colocar las golosinas en el suelo, delante del perro, en lugar de dárselas en la mano. Así el animal se mantiene agachado, mientras que para el resto de los ejercicios tiene que tratar de levantarse. Está

Para el caso del «¡Quieto!», el perro sólo debe obtener la golosina mientras se mantenga en la posición deseada.

Con un simple ademán, Silvia hace que Leni preste atención a la manta. Tan pronto como el animal pisa la manta, su dueña pulse el *clicker...*

claro que, una vez que el animal pueda abandonar la posición, habrá que premiarle con unas cuantas golosinas más. Una «comida en condiciones» sólo se debe realizar una única vez. Después de esa ocasión única ya se puede comenzar a distanciar más entre sí la concesión de premios en forma de golosinas.

Ejercicio en la manta

Para comenzar este ejercicio el dueño debe tumbarse sobre una manta, alfombrilla o accesorio similar. La mayoría de las veces este proceso despierta tanta curiosidad en el animal que este acaba por acercarse a la manta para olisquearla. El dueño debe recompensar al perro con un *click* (o una palabra de elogio) y una golosina cada vez que toque la manta, aunque sólo lo haya hecho de forma accidental. Al principio también se puede caminar despacio con el perro alrededor de la manta y, si fuera necesario, ponerle en la pista de dónde está. El proceso de aprendizaje se acelera si después del *click* se arroja una golosina sobre la manta; es una forma de animar al cachorro a que vuelva a pasar por la manta y busque su recompensa. Poco a poco, el cachorro se acercará de nuevo a la manta con la esperanza de conseguir un nuevo pre-

mio. También se puede introducir una señal auditiva, como «¡Vete a tu manta!». Los tiempos hasta recibir el *click* deben ser cada vez más largos, pero el sonido del *clicker* sólo se emitirá una vez que el cachorro haya permanecido unos cuantos segundos sobre la manta o se haya tumbado sobre ella. La mayoría de los cachorros aprenden muy deprisa este útil ejercicio.

Adiestramiento con el clicker

Muchas veces hemos hecho referencia en estas páginas al *clicker*, pero ¿en qué consiste en realidad este instrumento? Se trata de un objeto resistente hecho de metal, con forma de rana, que al ser presionado con el pulgar emite un sonido corto y fácil de recordar. Es un sonido que se utiliza con mucho éxito en el adiestramiento de perros, que lo interpretan como señal de elogio; es algo así como para los humanos un billete de lotería que llevara escrito el texto «premiado»: el *click* que el perro escucha le dice algo parecido a «¡has ganado y ya puedes recoger tu premio!» o bien «¡lo que acabas de hacer es justo lo más adecuado y ahora te corresponde recibir una golosina».

... y le da una golosina a Leni. Más tarde sólo habrá *clicks* y golosinas si el animal aguanta más tiempo sobre la manta y se siente cómodo en ella.

Ventajas del clicker

Una regla importante del aprendizaje canino nos dice que los perros ejecutan en más ocasiones los comportamientos que les han hecho merecedores de elogios. Por lo tanto, se deduce que tienen capacidad para asociar las alabanzas con las actitudes que les han servido para conseguirlas. Parece lógico pensar que este mecanismo sólo funciona si el elogio se produce en el mismo instante en que ha tenido lugar el comportamiento correcto, es decir, de medio a un segundo después de completar el «hecho digno de alabanza y premio». Las galletas ofrecidas al perro después de un paseo son, por ejemplo, un elogio para indicar que durante la caminata no ha tirado de la correa, pero no sirven de nada si se entregan transcurrido demasiado tiempo, porque en este caso nuestra mascota no es capaz de crear un vínculo entre el elogio y su comportamiento anterior.

Recompensa imposible

Hay ocasiones en que resulta completamente imposible entregar el premio en el momento adecuado. Por ejemplo, no se le puede dar una golosina mientras el cachorro salta por encima de una valla, e incluso si se acerca porque se le ha llamado, el mensaje le resulta algo impreciso, por eso lo importante es recompensar al perro por haber reaccionado a la llamada y por haber dejado, por ejemplo, de olisquear para fijarse en usted, el dueño. Si se acerca a su dueño no se le premia por el hecho, en sentido estricto, de volverse y avanzar unos cuantos pasos en dirección a su dueño, sino «sólo» por el avance que ha realizado durante el último metro (o por el salto que ha dado justo antes de recibir la golosina...).

Elogios en el momento adecuado

De hecho, con un *clicker* se le está diciendo al perro que se ha comportado de forma adecuada justo antes de entregarle su auténtica recompensa. El ruido del *click* señala en el cerebro del perro el comportamiento que mostraba justo mientras escuchaba ese sonido. Por ejemplo, se puede hacer *click* a la vez que salta o en cuanto haya reaccionado a una llamada; luego llegará el momento de la golosina. Representa una gran ventaja para la for-

Por lo general, no se debe sujetar el *clicker* de una manera tan vistosa como se muestra en la ilustración, lo mejor es utilizarlo con cierta discreción.

mación básica del animal y para su futuro adiestramiento, pues acelera mucho todo el proceso de aprendizaje. Otra ventaja del *clicker* es que cuando se utiliza, el perro ya no está tan pendiente de las golosinas (o del juguete) y no se dedica a mendigar de forma constante ni a olisquear en nuestros bolsillos, sino que intenta realizar algo que le haga merecedor del *click*.

Una comprensión inequívoca

¿Por qué es mejor utilizar un *clicker* para transmitir un elogio que servirse de la voz? Al perro le resulta complicado percibir la diferencia entre las muchas palabras que se utilizan con él y las que son más importantes. Por esa razón, y sobre todo al principio, es mejor disponer de sonido totalmente neutro como puede ser el del *clicker*. Además, no sólo es mucho más corto que la palabra sino que el dedo pulgar siempre puede actuar más rápido que lo que cuesta articular la palabra. Una amplia serie de test prácticos ha puesto de relieve que el sonido de un *clicker* es muy adecuado como «sonido de demarcación», porque parece ser muy bien asimilado por el cerebro de los animales, con lo que se acelera el proceso de aprendizaje y se incrementa la motivación. De ahí que se deba intentar, a toda costa, hacer pruebas con el *clicker* a pesar de que se trate de algo insólito para el perro.

Elementos auxiliares en la formación

Está claro que también se puede educar a un perro e instruirle sin necesidad de utilizar un *clicker*, pero gracias a ese instrumento las cosas funcionan mejor; no obstante, no hay que olvidar nunca que el *clicker* sólo es un medio auxiliar para la formación del cachorro. Una vez que el animal haya entendido y aprendido el ejercicio y la forma de comportarse en una determinada situación, ya no será necesario su uso. No es bueno que el animal dependa en exclusiva del *clicker*, por eso en cualquier momento se puede utilizar, a modo de premio, una palabra, que haga las veces de *clicker*, en lugar de servirse siempre de él o para los casos en que no se lleve encima o no lo podamos utilizar por cualquier motivo. Si se empleara una palabra a modo de recompensa esta debe ser muy corta y no habitual para el perro. Puede ser una parecida a «¡Tic!» con tal de que se pronuncie siempre igual y con el mismo tono para que el animal la pueda entender bien.

Condicionamiento al clicker

Para instruir al perro en el significado del *clicker*, lo mejor es procurarse algunas sabrosas golosinas e irse con el animal a un sitio tranquilo. Manténgalo muy cerca de usted y, si lo considera necesario, átelo con la correa. A continuación, emita un *click* (sin tener en cuenta qué está haciendo el animal en ese momento) y, justo después del sonido, ofrézcale una golosina, sin preocuparse de si el animal se ha vuelto o no hacia usted. Hay que poner atención en no hacer ninguna otra señal distinta a la del *clicker* que anuncie al perro la llegada de una golosina. Si usted se pone la mano en el bolsillo o abre el paquete de golosinas, el animal sabrá que va a recibir algo y puede que no haga caso del *click*. Si opta por sentarse delante de usted y mendigarle una chuchería, debe girarse y emitir el *click* mientras camina. Tras cinco o diez repeticiones de los *clicks* y el ofrecimiento de golosinas, debe probar una vez más con el sonido cuan-

do el animal lo esté mirando. Después no le entregue de inmediato la golosina, sino que debe esperar la evolución de los acontecimientos. Si el animal lo mira expectante o se le acerca para recoger la golosina «prometida», usted sabrá que el animal ha entendido el significado del *click*. Ha llegado el momento de seguir trabajando con él.

Info Reglas del *clicker*

1. Detrás de cada click debe haber una recompensa palpable (golosinas, juego, posibilidad de olisquear algo, etc.), de lo contrario, el sonido no surtirá el mismo fascinante efecto sobre el perro.

2. Cuando usted haga click, lo más normal es que el animal interrumpa su actividad para recibir su recompensa. Por ejemplo, que abandone la posición que adoptó tras la orden «¡Siéntate!». Pero no tiene importancia, pues el click también significa: «¡Se acabó el ejercicio!» y eso quiere decir que es necesario darle su premio.

3. No haga nunca click sólo para comprobar que el perro mira o se acerca a usted. El sonido debe utilizarse exclusivamente para recompensar al animal por algo que ha hecho mientras lo escuchaba y no por su falta de atención.

4. Si se trabaja con el *clicker*, primero habrá que emitir el sonido y después entregar una golosina (o cualquier otro tipo de premio). Si no se hace así, el animal no se preocupará del click y atenderá con más interés a la golosina que el dueño lleva en la mano o saca de su bolsillo.

Las primeras semanas o, mejor dicho, los primeros meses pasados con los cachorros suelen ser bastante agotadores, pues excepto cuando el animal está durmiendo, el resto del tiempo hay que ocuparse de forma interrumpida de su educación. No obstante, las exigencias y atenciones necesarias para un perro joven conllevan una gran satisfacción y cada minuto que le dedique es como hacer una inversión pensando en la convivencia de los próximos años, que es de esperar que sean muchos.

Elegir el grupo adecuado de cachorros

Lo mejor es buscar con tiempo un grupo de cachorros que resulte adecuado. Se pueden conseguir direcciones tanto en el veterinario como charlando con otros dueños de perros. También a través de Internet o preguntando en las asociaciones caninas se puede obtener información suficiente sobre grupos de cachorros que haya cerca de su domicilio. Sin duda, incluso el criador que le vendió el perro podrá darle algún que otro consejo al respecto.

Merece la pena hacer comparaciones
¿Por qué grupo debo decidirme? En algunas ocasiones, recibo llamadas telefónicas de personas interesadas en los grupos de cachorros que, de forma sistemática, me plantean numerosas preguntas como, por ejemplo, qué cantidad de perros participan en el grupo. Si no son los previstos, es decir, unos seis o siete, sino alguno más, ocho o nueve, noto muy bien que al otro lado del teléfono parece enfriarse el interés. Sin embargo, la cosa no es tan sencilla, porque en realidad existen muchas posibilidades de que un grupo de cachorros así funcione bien. En el

«¡Estamos muy contentos con nuestra escolarización!».

fondo lo que pasa es que incluso aunque todo funcione bien aparentemente, aún falta por establecer una cierta «química» entre el monitor y los participantes para que todo en el grupo marche a la perfección.

Además, aunque en el grupo se den algunas deficiencias, también puede resultar útil participar porque probablemente existan otras compensaciones, como la cercanía a su domicilio, su horario, la calidad de su trabajo que puede compensarnos de esos pequeños defectos que, en el fondo, no suponen ningún efecto negativo para el animal. De todas formas, en esas importantes primeras semanas de vida de un cachorro nadie debería pensar en ahorrarse unas horas de dedicación, unos cuantos kilómetros de más o unos pocos euros. En cualquier caso, antes de inscribir a su cachorro en un grupo, lo mejor sería visitar algunos grupos para hacerse una idea sobre su funcionamiento; en caso, de no hacerlo así se puede cometer la imprudencia de inscribir al perro en un grupo, organizado por alguna asociación que domine el asunto, cuyo

El grupo de cachorros debe gustarle tanto a usted como a su perro.

funcionamiento sea muy inadecuado y perder, de esa manera, un tiempo muy valioso. Si percibe que sus visitas para informarse no son bien recibidas, se dará cuenta de que ese es un motivo más para desconfiar.

Aspectos negativos en los grupos de cachorros

En lugar de señalar los aspectos positivos que deben darse en un buen grupo de cachorros, quizá sea mejor listar aquellos aspectos negativos que deben evitarse. Personalmente, creo que nunca debería acudirse con el perro a un grupo de cachorros en el que:

> Se rigieran por el lema «¡esto lo arreglan ellos solos!» y no intervienen si los cachorros son maltratados o atemorizados, o alguno se dedica a agredir al resto de los perros.
> El director actuara de una forma excesivamente reglamentista y aplicara castigos excesivos al cachorro (con gritos o tirándolo al suelo, sacudiéndolo por el pescuezo o haciendo cosas semejantes) o bien solicitara al dueño que lo hiciera.
> El dueño no pudiera entrar en la zona de juegos.
> Quisieran impedir que el dueño protegiera a su cachorro asustado.
> Se interrumpiera inmediatamente cualquier juego o contacto social cada vez que surgiera una situación un poco más brusca o ruidosa de lo habitual.
> Los métodos empleados no fueran aceptables (como, por ejemplo, utilizar la fuerza, dar bruscos tirones de la correa o prohibir las recompensas y premios con golosinas).
> De acuerdo con el lema, «¡el perro tiene que pasar por eso!», practicaran una actitud de tolerancia en los ejercicios, por ejemplo, sobre los cuidados y el aseo, o tumbaran de espaldas violentamente al animal o se impusieran por la fuerza.

> Obligaran a los cachorros a «hacer la instrucción» y dejaran a un lado, como secundarios, los contactos sociales de los perros.

Además, en el caso de que en el grupo elegido sólo hubiera animales de una determinada raza, sería conveniente, a modo de complemento, asistir también a otros grupos menos homogéneos.

Los primeros día con el cachorro

Le conviene saber que una vez que, como nuevo propietario, haya recogido a su cachorro del domicilio del criador o de su domicilio anterior, el animal experimentará impresiones muy nuevas. Por eso, es bueno que en un primer momento pueda establecer un nexo de unión con el nuevo propietario, y también dejar que pasen unos cinco días, por lo menos, antes de que asista a las sesiones de su primer grupo de cachorros. No debe esperar mucho más porque podría superarse el tiempo correspondiente a la importante fase de socialización por la que pasa el animal (véase la página 10).

Evitar el exceso de estrés

Debido a que la visita a un grupo de cachorros puede resultar muy excitante y provocar, a la vez, un considerable estado de estrés, el animal ya debería estar acostumbrado a llevar correa y a subirse al coche antes de asistir a las clases. Eso contribuiría a mantenerlo relajado. De lo contrario, vivir todas esas experiencias de forma simultánea podría resultarle excesivo. Los criadores cuidadosos y comprometidos con su oficio suelen entregar los cachorros a sus nuevos dueños con esas lecciones aprendidas, pero si ese no es su caso, entonces debería empezar con esas lecciones lo antes posible, uno o dos días después de haber recogido al animal.

Acostumbrar al cachorro al coche

Podría ocurrir que el viaje desde el anterior domicilio hasta su nuevo hogar ya hubiera sido suficiente para que el cachorro se acostumbre al coche, pero de no ser así no hay más remedio que subirlo unas cuantas veces al automóvil y, sin más, darle unas cuantas golosinas; luego realizar el mismo proceso pero ahora con el motor en marcha y, por último, realizar unos pequeños recorridos, primero de sólo unos cuantos metros, después unos cientos metros y, finalmente, unos cuantos minutos. En los primeros viajes en coche, quizá lo mejor es colocar al cachorro en su trasportín y depositarlo en la zona de los pies del puesto de copiloto para que vaya seguro, usted podrá ver cómo se comporta el animal y este no se sentirá demasiado solo ante el aluvión de nuevas sensaciones que está experimentando. Posteriormente, ya podrá trasladarlo a la zona habilitada para perros de la parte trasera o bien, con un cinturón de seguridad, colocarlo en el asiento trasero del coche.

Info | Aprender en cualquier momento

La visita a un grupo de cachorros, al margen de cómo esté gestionado, no es suficiente por sí sola para socializar a su perro y acostumbrarlo a todos las nuevas sensaciones procedentes de su entorno. Por un lado, su cerebro necesita para desarrollarse algo más que una sola visita semanal a un grupo; por otro, los perros aprenden de acuerdo con lo que viven en los lugares y en las nuevas situaciones. Es posible que su perro pueda aceptar sin problemas todo lo que le llega de su grupo de cachorros y, a pesar de todo, cuando esté fuera de él portarse como un animal inseguro.

Descubrir el entorno

Hay mucho que hacer

Coleccionar experiencias

Las primeras semanas de la vida de un perro son decisivas para su posterior desarrollo. El pequeño cachorro debe descubrir el mundo con sus propios sentidos, aunque no todo en un mismo día. Por lo tanto, usted debe prepararle algo nuevo para cada día (suele bastar con dedicarle unos diez minutos). Muéstrele su entorno con mucho cuidado y refuércele en todos sus descubrimientos.

Viajar en el coche

Una excursión al campo

Algún breve viaje al campo habituará poco a poco al cachorro a montar en automóvil. Acostúmbrelo a ir en el trasportín porque eso también mejorará su seguridad. Conduzca tranquilo para que él no tenga la sensación de viajar en una montaña rusa. Haga que los viajes en coche vayan asociados a pequeñas excursiones que sean divertidas para el animal. Así pronto lo verá correr feliz hacia el coche, porque sabe que el viaje le va a procurar una excitante aventura.

En prados y campos

Campo a través

Un perro quiere correr, pero con un cachorro no hay más remedio que ir despacio. Avance con él por un prado, deje que explore las madrigueras que encuentre y que olfatee las margaritas. Deje también que utilice sus dientecillos para mordisquear hojas o ramitas. Juegue con él y escóndase detrás de un arbusto para que el animal tenga que buscarlo.

En el agua

Con las patas empapadas

Todos los perros pueden nadar, pero en un primer momento deben aprender que son capaces de hacerlo. Sin embargo, al igual que nos pasa a las personas, no todos tienen la misma habilidad, y mientras unos son más intrépidos otros son más pusilánimes. Tenga paciencia, proceda con ánimo y pruebe una y otra vez hasta que el cachorro le siga. Si no tiene miedo al agua, en cualquier momento se atreverá a dar el salto. Sin embargo, reflexione antes si le apetece o no darle ese gusto.

Por la ciudad

Con mil ojos

La estación, los autobuses, los pasos subterráneos para peatones, la plaza del mercado, etc., en la ciudad hay un montón de cosas que descubrir. La enorme variedad de olores que se dan en ella afecta de forma muy distinta en los cachorros y también el fondo sonoro tiene muchas cosas que ofrecerles. Por lo tanto, es preciso que el animal se acostumbre muy despacio a todos estos estímulos, así que sujételo entre sus brazos si observa que está asustado hasta que aprenda que la ciudad es algo muy normal.

Contacto con perros

Desde enanos hasta gigantes

Lo más probable es que hasta ahora su cachorro sólo haya tenido contacto con su madre y sus hermanos de camada o como mucho también con algún que otro congénere.

Sin embargo, como en sus necesarios paseos es seguro que su cachorro se va a encontrar con otros perros, elija bien las amistades, pues no todos los perros son sociables con sus congéneres. Déjele jugar sólo con aquellas otras mascotas con las que usted se pueda sentir seguro y sepa que su animal se va a divertir sin ser zarandeado. Otras veces podría tratar de encontrarse con amistades del grupo de cachorros y así poder reunir a los perros que ya se conocen.

Después de asistir a una sesión del grupo de cachorros, el perro debería tomar un poco de comida y un poco más tarde hacer una breve siesta.

Habituarse al collar y la correa

Para que el perro se habitúe a la correa, lo mejor es colocarle un collar ligero o, mejor aún, un arnés de pecho que sea estrecho para que no se enganche con nada y le permita correr con agilidad. Es probable que al principio se muestre un poco nervioso o se lo rasque, pero al cabo de una hora habrá acabado por acostumbrarse. En el siguiente paso colóquele una correa y al principio déjela suelta, o manténgala en su mano y siga al cachorro, para que no pueda acusar demasiado el hecho de estar atado. Una vez que se haya acostumbrado, ponga mucho cuidado en que compruebe que su libertad de acción se limita a la distancia que le permite la correa. Si acaba por aceptarlo, dedíquele unas palabras amables y suelte un poco más la correa, además de darle también algunas golosinas y acuclillarse a su lado para hacerle unas caricias. Si, por el contrario, su cachorro muestra una cierta terquedad (es algo que puede ocurrir) y alborota de un lado para otro por culpa de la correa, debe mantenerse muy tranquilo, ponerse en cuclillas y limitarse a sujetar con firmeza la correa. El perro se dará cuenta enseguida de que no sirve de nada su pelea y se tranquilizará. Si deja de tirar o se acerca a usted, dedíquele unas cuan-

tas palabras de elogio, tal como ha dicho en anteriores ocasiones.

Con la barriga llena se juega mal

Llevar al cachorro al grupo después de comer no es lo más adecuado. En efecto, si el perro debe tomar una de sus comidas unas dos horas antes del comienzo del grupo, lo mejor sería darle una ración más pequeña y después aumentar algo la siguiente. Otra opción es darle algunas sabrosas golosinas, por ejemplo unos trozos de queso o de tiras de comida blanda, en lugar de su comida cotidiana. Normalmente, la comida seca habitual es algo que no despierta el interés de los cachorros. En caso de que su animal haya recibido muchos golosinas, recuerde que la siguiente comida debe ser algo más escasa.

Es necesario ir bien equipado

La primera vez que participe en el grupo de cachorros debería llevar las correspondientes golosinas y también la cartilla de vacunación del perro, la correa y el arnés de pecho o el collar. Si ha llovido será necesario llevar una toalla para frotar y limpiar al perro después de participar en los ejercicios. Tampoco se debe olvidar de llevar una bolsa de plástico para retirar las posibles deposiciones, porque, aunque pudiera disponer de alguna que haya en el grupo de cachorros para esa eventualidad, también puede ser que surja algún imprevisto durante el camino. En caso de que su cachorro todavía no esté muy acostumbrado al coche, no estaría de más que llevara un rollo de papel de cocina, una bolsa de basura y alguna toalla más por si el animal vomita. Usted mismo, puesto que estará presente en la sesión, también necesitará ropa cálida y adecuada a la meteorología, así como zapatos o botas de goma, pues los prados utilizados por los cachorros suelen estar bastante mojados cuando no embarrados, sobre todo en invierno o después de haber llovido.

Conviene dar tiempo al tiempo

También es bueno prever el tiempo necesario para recorrer el trayecto que haya entre el aparcamiento y la zona donde actúa el grupo de cachorros. Si su perro es muy joven, puede ocurrir que todas las nuevas experiencias con las que se tro-

pieza le lleguen a superar y, por decirlo de alguna forma, se sienta bloqueado. En tales casos, ha llegado la hora, por supuesto, de que usted lo coja en brazos. Después de unas cuantas visitas al grupo comprobará cómo el animal tira de su correa para no retrasar el momento de encontrarse con el resto de sus congéneres. En esas circunstancias, debe tomarse un tiempo para que su mascota aprenda a caminar de un modo correcto cuando lleve la correa puesta; merece la pena dedicar algo de tiempo y mucha paciencia a ese aprendizaje aunque pueda resultar algo complicado.

Jugar con la correa puesta

Aunque normalmente suelo hacer la vista gorda, cuando dirijo un grupo no me gusta que los cachorros que van de camino a la zona de juegos o están esperando delante de la puerta tiren de la correa o que los dueños les permitan jugar mientras están atados. Por una parte, eso acaba por anular el adiestramiento con la co-

El mejor equipamiento para el dueño del perro es llevar ropa cómoda y adecuada a la meteorología, así como un buen calzado.

Puede verse aquí cómo Aramis y Enzo muestran los catastróficos efectos de sus juegos mientras están atados.

rrea, ya que el cachorro aprende que cuando está excitado y hay perros alrededor desaparecen las reglas habituales y, por otra, los enredos entre los perros pueden ser bastante desagradables. También puede ocurrir que el perro no inspire, por el hecho de tirar de la correa, el aire suficiente y comience a jadear y sufrir un intenso estado de estrés. Si además se coloca en sentido oblicuo con respecto a la correa, su lenguaje corporal quedará desfigurado y ya no podrá poner en práctica el comportamiento normal de saludo y apaciguamiento. Todo esto puede producir lo que se conoce como agresiones con la correa.

Lo mejor es que mantenga a su cachorro alejado del resto de los perros durante el tiempo en que esté atado (al principio, puede bastar con separarlo un par de metros); si no es así, es decir, si el contacto es aceptado o no se quiere evitar del todo, entonces hay que dejar lo más suelta posible la correa para que se produzca una buena comunicación.

Comenzamos: la primera vez en el grupo de cachorros

Intente no mostrarse demasiado angustiado. Los cachorros no son tan frágiles como parecen y no se van a quedar traumatizados si otro perro los atropella, si

después de una pequeña pelea se quedan tumbados en el suelo o si lloriquean porque su compañero de juegos los ha empujado con un poco más de fuerza de la habitual. Los cachorros y los perros pequeños son muy amigos de los juegos de lucha y persecución, si bien prácticamente nunca se hacen daño ni se muerden con demasiada intensidad (siempre existe, por supuesto, el riesgo de que sufran una «lesión deportiva», pero es que en el fondo, la vida por sí sola ya es peligrosa). En caso de que sienta preocupación porque su cachorro pueda ser agredido durante el desarrollo de un juego, hágaselo saber al director del grupo (si es posible mejor en privado), pues ni el mejor entrenador puede tener ojos para vigilar a todos los animales a la vez. Un entrenador consciente tomará en consideración su preocupación, observará a los perros con más atención y, si las circunstancias lo requieren, actuará en consecuencia; y si no actúa le explicará el motivo por el que ha estimado mejor no hacerlo, fundamentando su decisión de manera que usted pueda entender mucho mejor el comportamiento del perro.

Abordar directamente los problemas

Lo mismo cabe decir si a usted no le gusta algo de lo que sucede en el grupo de cachorros. No hay por qué mascullar en

Los estrangulamientos y los tirones de correa involuntarios es algo que su cachorro asocia poco a poco a la presencia de otro perro. Por ello, con el tiempo se puede convertir en un «Rambo de la correa».

voz baja o enfadarse, y menos aún discutir con el resto de los participantes. Tampoco debe dejar el grupo sin más comentarios y luego criticarlo. En lugar de eso, lo pertinente es hablar a solas con el director para plantearle los posibles problemas. Dele la oportunidad de aprender de sus propios errores o de que le convenza explicándole sus motivos. Insista en sus preguntas si hay algo que no ha entendido de las explicaciones o de las instrucciones recibidas.

Cuidado con los otros dueños de cachorros

Piense que, prácticamente, todos los dueños de cachorros tienden a ser parciales en sus juicios y a preocuparse en exceso de todo lo que se refiere a su cachorro (no debe extrañarse, porque eso es algo que también le ocurre a usted). Por tanto, no haga comentarios despectivos sobre el resto de participantes o de sus perros. Da igual lo odiosos o maleducados que le parezcan esos cachorros, sus dueños los quieren tal como son y se sienten muy orgullosos de ellos. No les ofenda con afirmaciones poco amables o miradas inquisidoras que los pongan nerviosos. Piense que los dueños de los cachorros di-

fíciles ya tienen suficiente con lo que les ha caído en suerte y que la mayoría de las veces ni siquiera ellos están satisfechos con el comportamiento de sus perros. En definitiva, no intente marginarlos y alégrese cuando sus perros consigan algún que otro pequeño éxito, y además hágaselo saber.

Paciencia con los tímidos

No le dé vueltas si al principio su cachorro se muestra algo miedoso o no quiero jugar con los demás. Está claro que supone una decepción el hecho de comprobar que el cachorro no se divierte y se limita a permanecer sentado y tembloroso en un rincón, pero eso no tiene

miedosos suelen integrarse bastante bien (véase la página 40).

Contacto con personas

Alégrese si su cachorro también establece contactos amistosos con otras personas, ya sea durante los ejercicios de intercambio de perros, ya sea durante las pausas existentes entre los distintos ejercicios. No es una buena señal, ni siquiera entre las razas que son especialmente reservadas frente a los seres

Al principio, Justus solo mira un poco. Pero una vez que ha superado el miedo, le parece que ha aumentado de talla.

por qué ser, ni mucho menos, un motivo de preocupación. Si, en cambio, la cuestión fuera que su cachorro padece (por ejemplo, porque le falta socialización) verdaderos problemas con el miedo, piense que tampoco no tiene por qué renunciar antes de tiempo. Quizá usted puede tener la sensación de que todo eso carece de sentido y es excesivo para el perro. En realidad, para tales cachorros es para los que resulta tan importante la visita a los grupos y el contacto con otros perros: se trata de una gran oportunidad para que venzan todos sus miedos. Después de haber asistido unas tres veces al grupo, hasta los cachorros más

humanos, que un cachorro de doce a dieciséis semanas muestre extrañeza ante las personas, así que la asistencia al grupo de cachorros le ofrecerá también la posibilidad de que su perro practique la socialización con los dueños de los otros perros. Los celos o esa opinión de que «el animal no debe irse con extraños» son planteamientos muy equivocados. Es cierto que se debe vigilar para que nadie le dé al cachorro golosinas no solicitadas o le anime a saltar. Si alguien se comporta de forma poco razonable en este sentido, lo mejor es hablar en privado con el director del grupo para pedirle su intervención.

Preguntas en el momento adecuado

Naturalmente usted puede, y debe, preguntar todo lo que desee al equipo instructor sobre los cachorros, pero es mejor que no agobie demasiado al monitor o a sus auxiliares, pues estos deben atender a todos los participantes con sus cachorros y no sólo a usted. Si desea formular preguntas más complejas o especializadas, solicite a alguien del equipo que le dedique un poco de tiempo después de la clase o pregunte si prefiere que le llame por teléfono. Si le surgen muchas preguntas sobre la formación básica de su cachorro y no se las pudieran responder por completo en el grupo o si ve que existen verdaderos problemas con su mascota, no sea tímido y pida que le impartan alguna clase particular o que le hagan una visita en su casa. Naturalmente eso tiene un costo económico extra, pero merece la pena y es más correcto que formular numerosas preguntas reiteradas hasta conseguir bloquear al instructor con su petición de consejos extraordinarios.

Avisar en caso de baja

Naturalmente, es posible asistir una o dos veces a un grupo de cachorros y luego de-

> ### Consejo | Respetar las reglas
>
> Por favor, intente ser siempre puntual y cumplir las reglas básicas propias del grupo de cachorros. Un ejemplo puede ser no dar de comer a los perros ajenos. Retire las deposiciones que su perro haya hecho en el campo de juegos sin esperar a que se lo pidan; piense que es una forma de evitar que el director del grupo no tenga problemas con el vecindario. Si le acompañan sus hijos, debe mantenerlos bajo su propio control y encargarse de que no ocasionen molestias ni se los endose al director del grupo o al resto de participantes.

jar de hacerlo sin dar más explicaciones, pero si ya ha participado en el grupo durante un cierto tiempo y ve que no podrá continuar porque, por ejemplo, le han cambiado el horario laboral o su perro ha sufrido un accidente, el director del grupo agradecerá mucho que le comunique tal circunstancia. De esa forma, dejará de preocuparse por los motivos que han podido provocar su abandono y disipará la duda de si se ha molestado por algo ocurrido de lo que él mismo no se ha percatado.

El director de un grupo acaba sintiendo aprecio tanto por los cachorros como por los dueños que asisten regularmente a alguno de sus grupos. Si alguien abandona sin dar más explicaciones, sin duda se sentirá preocupado.

A las personas que tienen por primera vez un cachorro se les abre un mundo nuevo y desconocido. El pequeño corretea con torpeza por toda la casa, pero de repente se agacha y deja fluir un charquito sobre la alfombra o bien trastea por el jardín sin tener ninguna consideración con nuestras valiosas plantas. ¿Cómo se debe reaccionar ante todo ello? Aquí encontrará resumidos tanto los problemas más frecuentes con que tropiezan los dueños noveles de cachorros como los consejos necesarios para mantener una relación adecuada con sus mascotas.

El cachorro en casa y en el jardín

El cachorro nos muerde a todos y nos desgarra la ropa

Todos los cachorros juegan a morder, pero es preciso que aprendan cuanto antes a abandonar esa costumbre. Para ello, imite, en primer lugar, el comportamiento amenazador de un perro adulto y en cuanto le haga daño o trate de desgarrarle la ropa lance un sonoro y vigoroso «¡Ay!» o «¡No!», e interrumpa con brusquedad el contacto con el animal, muéstrese muy tenso y erguido, cruce los brazos, mire hacia el cielo y ponga cara de disgusto. Persista en esa actitud aunque el perro salte un par de veces hacia usted. Así comprobará cómo, poco a poco, se pierde el efecto de su grito negativo. En cambio, si intenta empujarlo, sujetarlo o mantenerle cerrado el hocico, como a veces se recomienda, verá cómo eso contribuye a reforzar aún más el comportamiento del cachorro. Si se repiten varias veces las «fechorías» caninas, interrumpa por completo el juego o la actividad que esté realizando con el cachorro.

Hay veces, no obstante, en que un cachorro llega a estar tan excitado que, a pesar

Los cachorros consideran que son el ombligo del mundo, pero por eso también deben aprender a comportarse.

del lenguaje corporal de su amo, insiste en su costumbre de morder y rasgar la ropa. En teoría, se puede actuar frente a él como si fuera un perro adulto, es decir, después del primer «¡No!» aferrarle durante unos instantes con energía por la zona de la nuca y sujetarlo pegado al suelo durante un par de segundos. Generalmente, esta es una forma de actuar que sólo consiguen mantener los propietarios más experimentados, ya que los inexpertos suelen mostrarse casi siempre más tímidos o vacilantes y permiten que el perro se ponga de pie enseguida. Otra alternativa para los cachorros mordedores es plantearse un «tiempo muerto» durante el que el cachorro lleve colocada, una o dos semanas, una ligera correa de arrastre de unos 80 cm de longitud sin asa ni nudos. Si ve que el «¡No!» no sirve de nada, llévelo de la correa hasta que se tranquilice de nuevo, así lo más alto que podrá morderle aho-

ra será en los zapatos. Además, aprenda a ignorarlo.

Aplicando esta misma estrategia también ayudará a sus hijos que, con toda probabilidad, aún no habrán conseguido por sí solos que un cachorro como el que hemos descrito deje de brincar para mordisquearlos o de saltar hacia ellos.

Creo que mi cachorro se ha vuelto loco o que es demasiado dominante. ¡A veces da vueltas alrededor de sí mismo y parece estar fuera de sí por completo!

No debe preocuparse, esa actitud es normal y acabará por desaparecer. Son los «cinco minutos locos» del cachorro durante los que pueden pasarse de rosca con los niños y hacer el tonto de verdad. Saltará por encima de mesas y banquetas, morderá lo que se ponga a su alcance y se orinará por todas partes. Después el animal abandonará de repente esta fase de frenesí y se dormirá. A veces se tra-

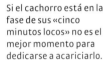

Si el cachorro está en la fase de sus «cinco minutos locos» no es el mejor momento para dedicarse a acariciarlo.

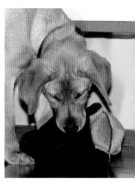

Lo mejor es alejarse todo lo posible de los líos y darle algo al cachorro para que se desfogue.

ta de un signo de agotamiento o es consecuencia de que se siente desbordado por los estímulos. Usted mismo debe preocuparse, por ejemplo, de que durante sus juegos con los niños el perro no acabe demasiado excitado. Si tiene un ataque agudo de excitación entréguele un juguete nuevo que sea grande (por ejemplo un suave animal de peluche) con el que se pueda desahogar o algo que resulte muy atractivo de morder y observe cómo, sin más, todo se resuelve sin problemas.

¿Cómo puedo conseguir que mi cachorro mantenga limpia la casa?

Vigílelo mucho durante las primeras semanas y sáquelo a la calle para que no ocurra ninguna «desgracia» dentro de casa (por supuesto, eso es algo que no se puede conseguir al cien por cien). Con el paso del tiempo, semanas, al cachorro le resultará cada vez más fácil acostumbrarse al ritmo diario de su dueño y aguantarse cada vez más, a la vez que usted será capaz de percatarse con más celeridad de cuándo debe sacar al animal.

¿Cómo puedo conseguir que mi cachorro no destroce la casa?

Vigílelo mucho durante las primeras semanas. Lo más adecuado es que aplique los mismos criterios que en lo referente a la limpieza. Interrumpa de inmediato lo que esté haciendo si observa que quiere cometer alguna tropelía. En estos casos pronuncie un rápido y único «¡No!» de aviso y adopte una postura que al cachorro le parezca amenazadora. Si continúa con sus reprobables acciones puede darle un suave cachete en la zona de los hombros y separarlo del objeto prohibido o sujetarle, durante un instante, el hocico desde arriba. Si se muestra enérgico, lo normal es que sea suficiente con que escuche ese «¡No!», pero a la vez ofrézcale bastantes cosas para que juegue o las muerda y que le resulten más interesantes que los muebles de su casa. Son muchos los perros que pasan por una segunda fase de masticación cuando tienen unos diez meses. ¡No deje que cunda el pánico, pues esa fase también acabará!

¿Cómo puedo acostumbrar al cachorro a que acepte el trasportín para perros?

Lo mejor es que el primer dormitorio del cachorro sea un acogedor y bien equipado trasportín. Los animales jóvenes lo suelen admitir sin ningún problema si se dan cuenta de que es el lugar más cómodo de toda la habitación. Una vez que el cachorro esté dentro y dormido, se puede cerrar la puerta y de esa forma usted también podrá irse con tranquilidad

a dormir. Si el animal se despierta por la noche, no es fácil que se orine en su camita, sino que se pondrá nervioso, le despertará y podrá sacarlo a la calle. Además, así no podrá destrozar la moqueta mientras usted duerme. Cuando cumpla los cuatro o cinco meses, haya adquirido el hábito de la limpieza y se dé cuenta de qué se puede y no se puede morder, ya se le podrá dejar abierto el trasportín. Eso quiere decir que prácticamente habrá llegado el momento de guardarlo. Además, el trasportín le enseñará a su cachorro dos cosas muy importantes: que su condición de perro le

Con el *clicker* se puede enseñar al cachorro, de forma rápida y sin presionarle, a que vaya a su trasportín al sonar la señal.

puede aportar ciertas restricciones en su libertad y que el mundo no se va a hundir por el hecho de que él se quede sólo durante algunos minutos.

La mayoría de los cachorros duerme con tal profundidad que ninguno se entera si se cierra la puerta de su «dormitorio». No obstante, si esa situación cambia pasados unos días, siga manteniendo la puerta cerrada cuando el perro esté en el trasportín, aunque para mantenerlo tranquilo no estaría de más que dentro encontrara algún hueso de juguete para poder mordisquearlo. De hecho, usted mismo puede sentarse cerca, por ejemplo con un libro (lo mejor es que para mantener el contacto lo haga en el suelo y muy próximo al trasportín), le haga compañía y se entretenga un poco, no demasiado, con él. Sin embargo, en función de las circunstancias también puede, en ciertos casos, ignorar por completo cualquier ataque de terquedad o las lamentaciones del cachorro. Le resultará sorprendente comprobar lo deprisa que el pequeño tirano renuncia a su actitud y acaba por dormirse. En cualquier caso, durante los primeros dos días no debe intentar dejar solo al cachorro en la habitación y mantenerlo encerrado en su trasportín, a no ser que esté muy dormido y usted se limite a salir un par de minutos mientras, por ejemplo, se cepilla los dientes. Una vez que el cachorro se haya acostumbrado a estas cortas fases de espera o a quedarse, ya se podrá aumentar sin ningún problema esos momentos de «abandono».

No quiero que mi cachorro ensucie el jardín. ¿Cómo puedo conseguirlo?

Basta con esperar a que el cachorro crezca. En la práctica, todos los perros adultos prefieren hacer sus necesidades al salir de paseo y así poder marcar su territorio. No se abrume por eso ni agobie a su perro. Consulte en la página 114 el apartado «¿Por qué no quiere pasear conmigo mi cachorro?

Prepare un rincón del jardín donde pueda dejar suelto al cachorro, llévelo una y otra vez a ese lugar y cólmelo de elogios cuando haga allí sus necesidades. De esa manera, no ensuciará todo el jardín y al tener que limpiar sólo un rincón del mismo le resultará más fácil conseguir su objetivo.

Cuando los perros están enfermos o son muy mayores, poder utilizar el propio jardín para sus necesidades puede suponerles una gran alivio.

¡Socorro, mi cachorro ha excavado por completo el jardín y ha mordido todas las plantas!

Yo le aconsejaría que el primer año haga la vista gorda. Proteja sus arriates y arbustos más queridos con una red metálica y deje que el perro se encargue de transformar el resto en el país de los cráteres. Si usted pretende impedir por completo esa actividad, no debe dejar que el cachorro esté solo y sin vigilancia en el jardín, un objetivo que sólo podrá cum-

En el primer verano del cachorro todo lo que hay en este mundo es un estupendo juguete para morder. Mi consejo es el de no conceder excesiva importancia al tema.

Antes de quitarle el botín a su cachorro deberá esperar de cinco a diez segundos. Si usted salta y lo persigue tal vez le parezca que recibe una recompensa.

plir al precio de acumular mucho estrés, tanto usted como su perro. El segundo verano el cachorro ya habrá crecido y resultará más fácil acostumbrarlo a que cave sólo en determinados lugares y no toque para nada las plantas.

¡Mi cachorro roba los calcetines o cualquier otra cosa que encuentre y sale a la carrera, además siempre salta sobre el sofá a pesar de que ya le he echado alguna bronca por ese motivo!
Usted debe ser por completo consecuente y gestionar bien el tiempo. Cuando pretenda que el cachorro deje de hacer algo, debe saber que la cuestión sólo funcionará si usted se muestra completamente resuelto e interrumpe su acción cada vez que el perro vaya a cometer cualquier fechoría que tenga preparada. Es probable que casi siempre llegue tarde y el perro ya lleve los calcetines en la boca o esté encima del sofá en el momento en que comience a regañarle. Así aprenderá que

usted no tiene poder para impedírselo y que puede burlarle. A lo mejor tampoco entiende que está haciendo algo prohibido y, por ello, puede ocurrir que algunas veces salte a escondidas al sofá o robe secretamente los calcetines. Es decir, se da cuenta de que puede hacer lo que le dé la gana cuando no hay nadie en la habitación, por eso no logrará nada si no le presta atención y no lo vigila. En definitiva, si quiere conseguirlo no le quite la vista de encima a su cachorro y no deje los calcetines tirados por ahí; además, moléstese en intervenir de inmediato o justo en el mismo momento en que estime que el cachorro va a hacerlo y no cuando ya se haya cometido el mal. En casos de emergencia puede ser útil una correa de arrastre.
Si se da cuenta de que el robo de calcetines constituye para él un auténtico juego, debe ignorarlo por completo cuando tenga éxito al atrapar uno o si lo destroza. Tenga en cuenta que si corre tras él, el animal interpretará que está recibiendo un

Info Un ruego al criador de perros

Como criador comprometido con su oficio, ofrézcales a sus cachorros un entorno variado y cambiante que les permita mantener contactos amistosos con diferentes personas. ¡Les resultará magnífico! Pero aún puede hacer algo más. Los propietarios inexpertos suelen tener muchos problemas con la tarea de formación de los cachorros, mientras que los más curtidos en estas cuestiones los superan sin mayores inconvenientes. En ese sentido, yo le rogaría:

> Acostumbre al cachorro a que pueda ser sujetado por cualquier sitio.
> Comience (a partir, por ejemplo, de la sexta semana) a adiestrarlo en la inhibición de la costumbre de morder y preocúpese que no tome como un juego la actividad de mordisquear los zapatos o la ropa de sus dueños.
> Procure acariciar a los cachorros, tanto usted mismo como los visitantes a su establecimiento, sólo cuando éstos mantengan las cuatro patas en el suelo, de esa forma no habrá problemas con los animales que siempre saltan.
> Acostumbre a los cachorros al collar (o arnés) y la correa.
> Haga que los cachorros realicen breves viajes en coche.
> Procure que los animales estén condicionados al toque de un silbato para perros o a una determinada llamada, y que esas señales se emitan siempre antes de darles de comer. Entregue al nuevo propietario tanto el cachorro como el silbato.

premio. Para evitarlo, proporciónele un juego de presa que le resulte excitante.

¿A partir de qué momento puedo hacer que el cachorro suba por las escaleras?

Súbale en brazos por las escaleras si el cachorro no es muy pesado y observa que aún no se siente lo bastante seguro como para subir solo. Una vez que las haya subido y ya se sienta bastante hábil las recorrerá arriba y abajo por sí mismo con una completa autonomía y usted podrá estar tranquilo. Hay cachorros que lo consiguen antes y otros tardan un poco más. La temida displasia de cadera de los perros no aparece por el mero hecho de subir algunas escaleras y, en todo caso, no porque los cachorros tengan que usarlas en el interior de la casa. Si usted vive en un quinto piso y no tiene ascensor, las cosas resultan, por supuesto, algo distintas. En general, los perros de razas muy grandes o los demasiado afectados por esa displasia deben observar ciertas limitaciones ante esfuerzos excesivos, pero los animales sanos y con una complexión normal pueden permitírselos. Si usted exagera las tintas y hace que su perro evite los peldaños, al animal le costará aprender a hacerlo en el futuro y tal vez se sentirá entonces amedrentado y torpe. Con tales planteamientos el riesgo de que se produzca una lesión es bastante elevado.

Su cachorro conquista su mundo a su propio ritmo. No lo frene más de lo necesario.

El cachorro en el ancho y extenso mundo

¿Por qué no quiere pasear conmigo mi cachorro? ¿Durante cuánto tiempo y hasta qué distancia puedo andar con él? La verdad es que cuando veo a alguien que sale de su casa y se marcha al campo a pasear con un cachorro de diez o doce semanas de edad al que lleva sujeto con una correa corta, me siento muy molesta. ¿Por qué razón? Pues porque un cachorro de esa edad no debe andar y porque durante ese paseo no va a aprender nada más que a tirar de la correa y a que su dueño le coloque en situaciones demasiado exigentes, no sólo de carácter físico sino también mental. Muchos cachorros que ya cuentan con cuatro e incluso cinco meses de edad sienten un bloqueo instintivo si tienen que apartarse unos cien o doscientos metros de su acostumbrada «guarida». Los cachorros de lobo, por ejemplo, están más protegidos de ese bloqueo pues tienen que perseguir desde muy pronto a sus presas y eso les puede llevar a extraviarse. Forzar a los cachorros para que paseen con su dueño puede hacer que se «pongan cabezones» en el camino de ida y que corran como locos durante la vuelta, con los consiguientes problemas que eso supone para llevarlos con la correa. Lo más llamativo de ese bloqueo es que sólo se produce si el alejamiento del domicilio se hace a pie, por eso debe pensar en habituar a su cachorro a su entorno ambiental llevándolo con usted en el coche o cargando con él durante el primer tramo del paseo si es que el animal insiste en mostrarse terco.

Algunos cachorros andan desde el principio porque les resulta divertido o desde muy pronto porque son capaces de hacer largos recorridos. La mayoría de las veces se trata de perros pequeños y nerviosos o de razas expresamente creadas para el trabajo, como es el caso de los husky o los border collie, que a partir de los seis meses de edad ya son capaces de tirar de un trineo o de guardar las ovejas. Para estos perros, recomendaciones como las de hacerlos pasear durante el primer año de vida sólo por recorridos de tantos minutos como semanas de edad tengan son algo

Los cachorros tienen una tendencia natural a seguirnos. Limítese a echar a andar y dele de vez en cuando un premio cuando vaya detrás de usted.

juegos y gestos afectuosos cuando el animal, por sí mismo, se le acerque o le acompañe en sus cambios de dirección.

Mi cachorro ya viene hacia mí si le llamo. ¡No me hace falta practicarlo!

También eso es un error. Ya que el cachorro tiene grabado en sus genes el instinto de seguir a su dueño, podría ocurrir que pareciera que el animal sabe lo que significa que le estén llamando, pero eso no es cierto. Durante los primeros meses previos a la llamada «fase de volar por sí solo» practique con él durante cinco o seis meses la llamada para que se le acerque.

¡Socorro, de repente, mi cachorro ya casi no me escucha!

Apostaría a que no se trata de un cachorro sino de un perro joven de unos cinco meses de edad. Está en la llamada «fase de volar por sí solo», en la que los perros jóvenes quieren ampliar su radio de acción y extienden sus intereses hacia cosas nuevas. Todo volverá a su punto exacto, pero durante las próximas semanas debe prestarle atención para que no adquiera malas costumbres. Esto significa que ha llegado la hora de ponerle con cierta frecuencia una correa larga. A la vez,

exageradas. En el resto de las razas, aunque al cachorro o a un perro joven les guste mucho andar y no se muestren fatigados en exceso, durante los primeros meses de vida no se deben hacer con ellos caminatas que duren varias horas. La socialización, la habituación al entorno, la generación de vínculos y la educación precoz son más importantes en esa época de su vida que salir de paseo a hacer kilómetros.

Quiero llevar a mi cachorro sujeto por la correa hasta que esté bastante educado. De lo contrario, podría salir corriendo y marcharse

Está usted en un error. Excepto en raras ocasiones, los cachorros tienen una tendencia natural a ir detrás de su dueño. Por eso los perritos deben ir sueltos desde el principio por casi todos los sitios o sujetos sólo por una correa de arrastre muy liviana, de forma que puedan separarse bastante en las calles o caminos en que no existan demasiadas distracciones (por ejemplo, practicantes de *jogging* o ganado pastando). Muévase de forma regular sin estar constantemente atrayéndolo con halagos o llamándolo. Prémiele con el *clicker* (o con elogios) y golosinas, o con

Antes de que comience la llamada «fase de volar por sí solo», la mayoría de las veces no se suele tener éxito en el asunto de acudir a la llamada. No obstante y a pesar de todo, lo mejor es mostrarse generoso con los premios.

Los dos juntos forman
ya un equipo fantástico.

practique con él la llamada de regreso, establezca mucho contacto con el animal (a base de juegos de buscar, esconderse, etc.) y, en caso necesario, intensifique el adiestramiento para reprimir el instinto cazador.

¡Mi cachorro no se deja sujetar con la correa. Se aparta si quiero ponérsela o no se acerca lo bastante!

Se trata de un perro que, a veces, puede ser propenso a pasar por una momentánea «fase de volar por sí solo».

¡Mi cachorro recoge todo lo que hay por el suelo!

No se preocupe demasiado si su perro actúa como una aspiradora y se lleva al hocico todo lo que encuentra en el suelo. Es un comportamiento normal entre los cachorros que acabará superando. Está claro que debe preocuparse de que no se trague nada, pero la mayoría de las veces se limitará a mordisquear o chupetear sus hallazgos y luego volverá a dejarlos. Por si acaso, procure quitar de su camino cualquier cosa que pueda ser tóxica o pe-

ligrosa como, por ejemplo, el papel de aluminio. Pero si usted le lanza un continuo «¡No!» cada vez que arrastre algo o sujete cualquier objeto con la boca, las cosas irán a peor. Puede que el cachorro tenga la impresión de que usted quiere hacerle la competencia y trata de arrebatarle su presa porque es algo verdaderamente valioso. En ese caso, sería capaz de tragarse cualquier cosa, por indigesta que sea, para evitar que se la arrebate. Y si usted decide hacer un trato y, como recompensa, darle una golosina a cambio de lo que tiene en la boca, él no vacilará, para que le premien, en llevarse a la boca todo lo que encuentre. Ignore su comportamiento en la medida que le resulte posible.

¡Mi cachorro muerde la correa!
(Véase la página 69).

¿Con qué frecuencia debo hacer «excursiones» para que se habitúe a su entorno y qué debo tener en cuenta?

A los dos o tres días de tenerlo en casa ya puede hacer la primera excursión de habituación al entorno. Durante las próximas semanas deberá salir con el perro cada dos días para que adquiera confianza en sus nuevas experiencias. Visite lugares muy variados, primero que sean tranquilos (un sendero del bosque o una calle secundaria y poco concurrida) y luego cada vez más animados, como puede ser una zona de paseo, una parada de autobús o el aparcamiento de un supermercado; al final, decídase a visitar un mercadillo de fin de semana, unos grandes almacenes o un zoológico.

Para empezar basta con unos diez o quince minutos, pues se trata más de estar en una zona de paso que de salir de paseo; limítese a moverse de un lado para otro en compañía de su cachorro. Recompénsele de vez en cuando si comprueba que no se aleja y que va muy bien detrás de usted. Quédese de pie si el cachorro mira hacia atrás o quiere olfatear algo, y si hace buen tiempo, siéntese a su lado un ratito.

Consejo   Arnés y correa

Para las excursiones que se acaban de comentar, lo mejor es que el perro lleve un arnés sujeto al pecho y una correa de dos o tres metros de larga. Así dispondrá de cierto margen de movimientos para jugar y, sin embargo, estará seguro.

La longitud de la correa permitirá, además, que él pueda continuar su marcha aunque usted vaya despacio e incluso recuperar su dirección si se queda rezagado.

Una correa de un solo metro de longitud obligaría al perro a ir pegado de forma ininterrumpida a sus pies y, en todo caso, haría que sintiera que se le exige demasiado. Entonces tiraría con fuerza de la correa o se arrastraría para intentar olfatear el entorno y sufriría un considerable estrés; además, los fuertes tirones del collar le embotarían la sensibilidad y harían de él un animal con «dureza de cuello».

Para contemplar a estos «gigantescos y extraños animales» lo mejor es que el chiquitín se encuentre al principio en una posición segura.

¿Qué hago si mi cachorro se asusta ante determinadas situaciones u objetos?

Lo más importante es saber que se trata de una actitud muy normal y no de ningún mal síntoma (véase la página 40). Manténgase tranquilo y deje pasar el tiempo. Los cachorros son muy capaces de superar por sí mismos leves situaciones de inquietud o miedo. Si intenta por su propia iniciativa reconocer el objeto que le provoca el miedo, elógielo por su valentía y acompáñelo en su exploración. Usted también puede jugar muy bien a parecer un perro mayor que explora el terreno. No tenga demasiado en cuenta a su perro, camine de puntillas y hágalo de forma profesional contra el viento manteniendo una postura relajada cerca del objeto que ha disparado el miedo. Hágalo de forma que parezca que usted lo olfatea un poco y después reláje se con mucha ostentación (respire con profundidad y deje caer los hombros y los brazos). La mayoría de las veces el cachorro confiará en su posición a sotavento del objeto.

Si el cachorro mostrase auténtico miedo y quisiera huir impídaselo en la medida de sus posibilidades, porque de otra forma ese miedo se le quedaría profundamente grabado. Lo mejor es que se ponga en cuclillas y lo sujete entre las piernas. En caso de que muestre pánico también puede tranquilizarlo tomándolo en sus brazos. Ofrézcale protección pero no le hable ni le acaricie para que no parezca que usted también se siente inseguro. Limítese a esperar que se sosiegue. Prémiele con una golosina (o también con un toque de *clicker*). Las cosas irán bien si comprueba que ahora el cachorro ya quiere reconocer el objeto que antes le asustaba. Si observa que prefiere huir o que está tan nervioso que rechaza la golosina, emprenda por esta vez una, diríamos, «retirada organizada», pero planee para un futuro inmediato la preparación de una situación similar.

Si el cachorro se asusta a causa de un ruido desmesurado o se le ve nervioso por esa razón, ofrézcale de inmediato, sin darle importancia y en silencio, una chuchería. De esa forma, establecerá una asociación positiva con el ruido y no sentirá miedo cuando se produzca de nuevo.

También debe ofrecerle golosinas si desde detrás de una valla le ladra otro perro o si un autobús o cualquier otro estímulo le produce una impresión desagradable. Los ladridos de los perros ponen muy nervioso al cachorro porque su instinto le dicta que debe huir hacia su guarida ante esa auténtica advertencia. Como en su actual entorno no existe esa guarida, el miedo seguirá estando presente, así que le corresponde a usted reducir algo el estrés por medio de golosinas.

¡Mi cachorro (o perro joven) se pone de repente a ladrar a todo lo que nos cruzamos, ya sean otros perros, señales de tráfico o cubos de basura!

Puede que pase por una de las «fases de miedo» (véase la página 11). Si ese comportamiento se mantiene durante dos o tres semanas, podría ocurrir que se tratara de un auténtico problema de miedo. Consulte esa actitud con el adiestrador del cachorro.

¡Cuando mi cachorro (o perro joven) le pone la vista encima a un congénere, se muestra incontrolable y tira de la correa como un poseso!

Está claro que es muy normal que un perro joven se interese por sus congéneres. A pesar de todo, intente atraerlo o llamarlo cada vez que pasen por delante de otro perro (o un transeúnte) para que recupere el control.

Emita un chasquido con el *clicker* (de elogio) ante cualquier logro, por pequeño que sea. Como recompensa frente a esa situación ofrézcale algo que le suponga hacer ejercicio: jugar, hacer que las golosinas rueden por el suelo o correr algunos metros junto a él. A continuación, si le parece oportuno ya puede dejarle que tome contacto con otros perros. Si en ese momento no quiere, intente convencerlo y guiarlo con alguna golosina. Sujete al animal por la parte

más cercana al congénere con el que se han encontrado y dé un pequeño rodeo alrededor del otro perro. Si su cachorro está tan excitado que ni siquiera desea dirigirle una mirada, déjelo estar, sujételo por la correa y espere, sin decir palabra, hasta que acabe de dar saltitos, de tirar o de soltar agudos ladridos. Después, dedíquele unos cuantos elogios y entréguele algún premio.

Luna se ha sometido a Huutch como si se tratara de un perro adulto, sin embargo, y muy a su pesar, va a constatar que eso no funciona demasiado bien con otros seres de su misma edad (hay que proceder de inmediato a rescatarla de tal situación).

Apéndices

Pasaporte canino

Nombre:

Diminutivo:

Sexo:

N.º de chip:

N.º del libro de registro:

Fecha de nacimiento:

Fecha de llegada a nuestra casa:

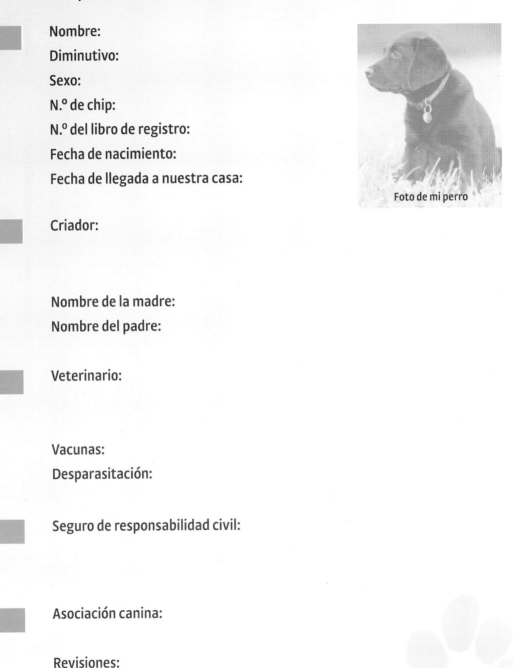

Foto de mi perro

Criador:

Nombre de la madre:

Nombre del padre:

Veterinario:

Vacunas:

Desparasitación:

Seguro de responsabilidad civil:

Asociación canina:

Revisiones:

Una guardería para cachorros

¡Voy!
Los cachorros siempre buscan el contacto con otros perros y cachorros. Así aprenden comportamiento social canino y reconocen sus posibilidades y limitaciones.

Aprender en el grupo
El propietario inexperto es quien más necesita tener un grupo de cachorros bien gestionado. En un grupo encontrará personas con sus mismas inquietudes y recibirá numerosa información sobre el lenguaje de los perros, su cría y su adiestramiento.

En el baño con juguetes
Comprobar su habilidad, experimentar sensaciones en su propio cuerpo y confiar en su amo. Los ejercicios que hallará aquí le servirán para conseguirlo.

Establecer contactos

No sólo los perros consiguen entenderse con sus semejantes, también entre sus amos se pueden entablar lazos de amistad que se mantengan durante muchos años.

Son muchas las cuestiones de las que se puede charlar amigablemente.

¡No tan impetuoso!

Es muy importante para la formación que el grupo de cachorros esté bien dirigido, y para ello los apoyos positivos deben situarse en primer plano. También se aborda el asunto de cuándo debe ignorarse al perro o cómo corregir comportamientos indeseables.

¡Hola, amigo!

Se da por supuesto que una parte muy importante de las sesiones con cachorros está orientada a los juegos. Por eso es importante que las dirija una persona competente, capaz de evaluar el comportamiento de los animales y organizar el grupo de acuerdo con la edad y el tamaño de los perros.

Etapas en la vida del perro

	Fases	Lapso de tiempo/Edad
Cachorro	Fase neonatal	Desde el nacimiento hasta, aproximadamente el 14º día de vida.
	Fase transicional	3ª semana de vida.
	Fase de socialización	De la 4ª hasta aproximadamente la 12ª/14ª semana de vida (la fase de cachorro acaba a los cuatro meses).
Perro joven	---	Desde el 5º mes de vida hasta el comienzo de la pubertad.
Pubertad	---	Comienza entre el 6º y 11º mes de vida (el 9º por término medio). Dura entre dos y tres semanas.
Perro adulto	Madurez física	Con el final de la pubertad.
	Madurez social	Razas pequeñas: a partir, aproximadamente, de los doce meses. Razas medianas y grandes: a partir de los dieciocho a los veinticuatro meses aproximadamente.
Perro mayor	---	Razas pequeñas: a partir de los diez años aproximadamente. Razas medianas y grandes: a partir de los siete u ocho años aproximadamente. Razas muy grandes: a partir de los cinco años aproximadamente.

Fuente: Schönig, Hundeverhalten, 2008.

Desarrollo físico	Desarrollo psíquico	Advertencia para propietarios /criadores
Crecimiento; emisión de sonidos como quejarse, rezongar o gimotear; mamar; hacia el final de la fase se abren los ojos y los oídos.	Reacción ante los estímulos táctiles del entorno, olores, sabores, oscilaciones de temperatura y dolor así como manifestaciones sensoriales acústicas o visuales .	Nada de lámparas de calor.
Crecimiento; abiertos los ojos y los oídos; empiezan a romper los dientes de leche; hacia el final de la fase empiezan a mostrarse independientes; primeros pasos controlados.	Comienza el enfrentamiento con el entorno; interacciones con la madre y los hermanos; fijación de los «fundamentos de la higiene».	Ligero estrés. Adiestramiento en hábitos de higiene y para adquirir experiencia con los objetos de la vida cotidiana (aspiradora, radio...) y personas.
Crecimiento; emisión de sonidos ya diferenciados; motricidad controlada; destete de los cachorros; en los machos descienden los testículos.	Comportamiento medroso (hacia la 5ª semana); elementos del ámbito de la agresión (hacia la 4ª semana); comportamiento intensivo de exploración y reconocimiento; aprendizaje de comportamientos sociales.	Impresiones del entorno, tolerancia a la frustración y el estrés. ¡Grupos de cachorros! Comienza el adiestramiento de obediencia.
Crecimiento; consolidación de facultades motrices y otras reacciones frente al entorno (por ejemplo, emisión de ruidos); cambia la estructura de la piel.	Adiestramiento de comportamientos sociales y de comunicación, así como de tolerancia a la frustración y el estrés: comportamiento social expansivo en el que resulta muy importante el estatus en el grupo; interés hacia los recursos relacionados con el estatus.	Continúa el adiestramiento de la fase de socialización. Realizar un adiestramiento intensivo sobre el tema del «ombligo del mundo» (véanse las páginas 83 y siguientes). Eventualmente introducir componentes nuevos o especiales en el adiestramiento (por ejemplo, para perros de caza).
Aparición de las hormonas sexuales (estrógenos en los ovarios y testosterona en los testículos); en las hembras la pubertad acaba cuando tienen el primer celo; en los machos no es fácil de identificar el fin de esta fase.	Los machos muestran un claro interés hacia las hembras; en ellas pueden darse cambios de comportamiento a raíz del primer celo; segunda fase sensible con posibles reacciones agudas de miedo; puede aparecer estrés ante otros perros.	No introducir de forma inconsciente un amplificador del miedo (segunda fase sensible). Continuar con el adiestramiento de la fase de perro joven. Componentes especiales en el adiestramiento de tema del «ombligo del mundo».
Concluye el crecimiento físico; madurez sexual; se intensifica la resistencia física.	Continúa el desarrollo psíquico hasta llegar a la madurez social; proceso de aprendizaje en relación con la competencia social.	Continuar con el adiestramiento de obediencia. Componentes especiales en el adiestramiento. Aumentar el esfuerzo físico.
	Concluye el desarrollo psíquico y social.	Continuar con el adiestramiento de la obediencia. Componentes especiales en el adiestramiento.
Disminuye la resistencia física y la capacidad visual y auditiva; posibles dolores crónicos (artrosis); puede cambiar la capacidad de digestión; eventual incontinencia.	Puede disminuir su interés por el entorno y la motivación; comportamiento llamativo a causa de la merma del rendimiento sensorial; desciende la capacidad de aprendizaje y de tolerancia a la frustración y el estrés.	No suspender el adiestramiento, pero ajustar las exigencias y el esfuerzo al estado físico y psíquico.

Índice alfabético

Título de la edición original:
Welpenkindergarten

Es propiedad, 2008
© Franckh-Kosmos Verlags-GmbH & Co.,
Stuttgart.

© de la edición en castellano, 2011:
Editorial Hispano Europea, S. A.
Primer de Maig, 21 - Pol. Ind. Gran Via Sud
08908 L'Hospitalet - Barcelona, España.
E-mail: hispanoeuropea@
hispanoeuropea.com
Web: www.hispanoeuropea.com

© de la traducción: Eva Nieto

Depósito Legal: B. 5098-2011

ISBN: 978-84-255-1986-4

Impreso en España
Limpergraf, S. L.
Mogoda, 29-31 (Pol. Ind. Can Salvatella)
08210 Barberà del Vallès

Créditos fotográficos
Abreviaturas utilizadas: ab. = abajo; dcha. = a la derecha; izqda. = a
la izquierda

Todas las fotografías de Sabine Stuewer/
Kosmos, tomadas expresamente para este
libro (www.stuewer-tierfoto.de), excepto
las siguientes:
Sabine Stuewer: págs. 1, 11, 33, 65, 95, 99
izqda., 112, 113, 122, 123, 124 y 125.
Mareike Rohlf/Kosmos: págs. 8, 9, 12, 13,
14, 15, 49 ab., 66 y 118.
Christof Salata/Kosmos: págs. 48 y 115;
Viviane Theby/Kosmos: págs. 28 izqda. y
29 dcha.
Jörg Hecke: pág. 119.
Sabine Winkler: pág. 82.

Fotografías de portada de eStudio Calamar
con la utilización de cuatro fotos en color de
Ulrike Schanz (anterior) y Sabine Stuewer
(posterior).

La autora

Sabine Winkler es hija de un veterinario y,
en consecuencia, ha crecido entre perros.
Estudió Biología y se centró en la
investigación del comportamiento animal;
desde hace más de treinta años vive
rodeada de sus propios perros. En
Bielefeld dirige la escuela canina aHa-die
andere Hundeausbildung y en ella
organiza grupos de juego para cachorros,
cursos de formación, clases particulares,
asesoramiento sobre problemas,
seminarios de fin de semana y actividades
de ocio con perros.